Gemelli. Previsioni e Rituali 2024

Alina A. Rubi e Angeline Rubi

Pubblicato in modo indipendente

Astrologi: Alina A. Rubi e Angeline Rubi

E-mail: rubiediciones29@gmail.com

Editore: Angeline A. Rubi

rubiediciones29@gmail.com

Gemelli

I Gemelli sono un segno d'aria che può trovare facilmente il suo posto tra gli amici, le feste e le serate fuori. I Gemelli sono governati da Mercurio, il pianeta della comunicazione, per cui è sempre possibile trovare argomenti di conversazione interessanti.

I Gemelli sono eccellenti raccontatori di barzellette e la loro energia dinamica e il loro magnetismo attraggono i partner romantici. I gelosi devono sapere che i Gemelli non sono mai soli, perché hanno sempre fan e seguaci.

Poiché i Gemelli esprimono le loro emozioni all'esterno, amano parlare. Questa espressione di sé è fondamentale per il Gemelli Mercuriale; quindi, è necessario che tutte le linee di comunicazione siano aperte e disposte a ricevere informazioni dai Gemelli.

Non vi interessa molto come vengono trasmesse le vostre idee, l'azione di condividere i vostri pensieri è più importante di ciò che dite. Non c'è nulla che il Gemelli disprezzi di più del tempo libero: è sempre occupato. Siete sempre in movimento con i vostri numerosi svaghi, inclinazioni e obblighi sociali.

Questo segno d'aria può lamentarsi di essere oberato di lavoro, ma se si analizza il suo programma giornaliero, tutti i suoi compiti sono opzionali, il che dimostra che il programma dei Gemelli non è altro che il risultato della sua dualità unica.

I Gemelli amano condividere i loro pensieri e le loro idee, ma non sono buoni ascoltatori e si distraggono facilmente; quindi, è essenziale assicurarsi che il partner Gemelli vi presti attenzione.

Se per caso lo vedete allontanarsi dalla conversazione, non esitate a dirglielo e a ricordargli che la comunicazione è a due. Non è facile mantenere l'interesse del Gemelli, anzi, non sa come rimanere concentrato.

Questo segno ha visto praticamente di tutto e il modo migliore per mantenere il suo sguardo fisso è quello di tenerlo all'erta. Fate i cambiamenti necessari e non dimenticate che non dovete mai compromettere i vostri valori o le vostre esigenze.

Mentre conoscete i Gemelli, divertitevi a scoprire la vostra multi-diversità. La tecnica di seduzione che funziona con i Gemelli è la conversazione, ed essendo il segno più poliedrico, ameranno parlarvi dei loro hobby e interessi.

Per la sua curiosità, parlare con questo segno è come guardarsi allo specchio, poiché ha la meravigliosa capacità di riflettere tutto ciò che gli si dice. Può sembrare strano, ma in realtà è la natura di questo segno.

Uscire con un Gemelli è un'esperienza stimolante, ma bisogna fare attenzione perché i Gemelli richiedono una stimolazione costante, che a volte rende difficile conoscerli a livello emotivo profondo.

Non dimenticate di trovare il tempo di sedervi e chiacchierare con il vostro partner Gemelli senza distrazioni e non abbiate paura di ricordargli che i ricevimenti piacevoli non sono mai tempo perso.

Il Gemelli ama il sesso, per lui è un'altra forma di comunicazione. Il Gemelli ha un forte appetito sessuale e gli bastano alcuni commenti penetranti per eccitarlo.

Quando si tratta di parlare sporco, il Gemelli ha scritto un'enciclopedia; quindi, potete eccitarlo spiegandogli esattamente cosa vi piace fare a letto. In questo modo, lui sentirà e analizzerà allo stesso tempo, una combinazione orgasmica.

Una delle peculiarità dei Gemelli è la rapidità con cui riescono a riprendersi dagli errori più devastanti. A differenza di altri segni, non sono guidati dall'ego. A loro piace divertirsi, quindi non lasciano che il loro ego si metta in mezzo e, quando commettono un errore, non si mettono mai sulla difensiva. Se il Gemelli deve scusarsi, lo fa immediatamente.

Sebbene questa qualità sia molto rispettata, non è del tutto generosa. I Gemelli si aspettano che accettiate le loro scuse altrettanto rapidamente. I Gemelli sono più felici quando sono impegnati; non appena i loro programmi diventano troppo rilassati, trovano il modo di cambiare le cose.

Non è che abbia paura, è che non gli piace annoiarsi.

Tutto questo può rappresentare una sfida per i partner Gemelli. Le relazioni stabili richiedono molta attenzione e i Gemelli non possono darla via facilmente; quindi, quando hanno una relazione devono assicurarsi di dare la priorità alle loro relazioni.

Poiché questo segno d'aria è disposto a provare tutto almeno una volta, ma a volte anche due, gli piace esplorare vari aspetti della sua personalità attraverso le relazioni sentimentali.

Anche se non lo danno a vedere, i Gemelli cercano un partner sereno per bilanciare il loro spazio intimo o familiare, perché hanno già abbastanza da cambiare. Questo segno d'aria è alla costante ricerca di qualcuno con cui mantenere un buon rapporto, per questo è sempre in movimento.

Oroscopo generale per i Gemelli

Questo sarà un anno eccellente per i Gemelli. Giove, il pianeta della fortuna e delle opportunità, passa nel vostro segno il 25 maggio, e questo accade solo una volta ogni 12 anni.

Durante questo transito di Giove si presenteranno molte opportunità nella vostra vita e vi sentirete più ottimisti. Questo è un nuovo inizio, un nuovo percorso, un nuovo viaggio.

L'anno 2024 vi porterà una grande fortuna, vi sentirete ispirati a fare qualcosa di nuovo o a realizzare qualcosa che volevate fare da molti anni.

La fortuna e i vostri sforzi vi permetteranno di affermare il vostro nome nel campo professionale e di crearvi un'identità negli affari. Inoltre, sarete in grado di portare a termine una vecchia attività o un progetto che è rimasto in sospeso nell'ultimo anno.

Potrete guadagnare molto denaro, ma per farlo dovrete evitare di prendere decisioni avventate e di voler costruire un impero da un giorno all'altro.

Se avete un lavoro, lavorerete più duramente dell'anno scorso, ma questo vi porterà nuove opportunità e persino offerte in nuove aziende. In generale, Giove farà in modo che possiate ottenere le migliori opportunità.

Dopo luglio dovrete concentrarvi, perché Saturno retrogrado può creare situazioni difficili e tese per voi. In questo periodo dovrete procedere con cautela e pianificare attentamente per evitare errori.

Nel 2024 sarete molto felici e soddisfatti del vostro partner per la maggior parte del tempo. A partire dalla seconda metà dell'anno, ci saranno alcuni conflitti e incomprensioni nella vostra relazione e sarà anche un periodo in cui le prospettive di matrimonio non si concretizzeranno.

Date la priorità al vostro partner, dovete fare ogni sforzo.

Se siete single, incontrerete qualcuno, le possibilità sono maggiori dopo maggio. Potreste incontrare il vostro futuro partner mentre siete in viaggio, creando nel tempo un legame che si trasformerà in una profonda amicizia, fino a sfociare in una relazione sentimentale.

Due eclissi si verificheranno nel vostro settore dell'amore: un'eclissi lunare il 25 marzo e un'eclissi solare il 2 ottobre. L'eclissi lunare vi farà sentire più vicini alle persone care con le quali avete un legame sano e vi allontanerete da quelle tossiche. Questo potrebbe essere il momento ideale per lavorare su questioni amorose in sospeso.

L'eclissi solare può portare un nuovo amore nella vostra vita. Se siete single, vi sentirete motivati a uscire e ad attirare l'attenzione, mentre se avete una relazione, aggiungerà scintille di passione.

Nel 2024 la vostra salute finanziaria migliorerà e potrete beneficiare di nuove fonti di reddito. Potreste ricevere ulteriori entrate da commissioni, dal mercato azionario, dagli interessi bancari o, forse, dalla lotteria.

Se avete sognato di comprare una casa o un'auto nuova, quest'anno si avvererà, e se avete bisogno di un prestito, potrete ottenerlo facilmente. Se lavorate duramente a livello professionale, il vostro conto in banca crescerà.

È possibile che cambiate casa o che facciate dei lavori in casa, e questo cambiamento potrebbe portare dei problemi alla famiglia. È necessario avere pazienza per superare questi problemi e far tornare la felicità nella vita familiare.

La salute si manterrà buona per tutto l'anno, ma potreste avere qualche piccolo problema a metà anno, poiché vi sentirete depressi e stanchi a causa dello stress. Questo può manifestarsi con problemi digestivi dovuti all'inappetenza e all'irrequietezza causata da contrattempi.

Amore

Quest'anno può portare alti e bassi emotivi, quindi ricordate che è normale provare una varietà di emozioni e avere sbalzi d'umore di tanto in tanto. Per gestire le emozioni, è importante trovare modi sani per farlo, come parlare con un amico o un familiare fidato, praticare tecniche di rilassamento come la meditazione o cercare il sostegno di un terapeuta mentale, se necessario. Dovete prendervi cura di voi stessi e cercare supporto se necessario.

Quest'anno è un anno eccellente per i Gemelli che vogliono instaurare una relazione. Se stavate pensando di fidanzarvi, questo è l'anno perfetto per farlo. Quest'anno farete progressi nella vostra vita sentimentale.

Sebbene quest'anno siate molto romantici e sognatori e tendiate a idealizzare la persona amata, dovreste fare attenzione perché le vostre fantasie potrebbero non corrispondere del tutto alla realtà, il che potrebbe portare a delusioni in futuro.

Cercate di essere coerenti, realistici e di accettare l'altra persona così com'è. L'amore quest'anno tenderà ad essere platonico.

In ogni caso, quest'anno sarà molto favorevole alla socializzazione e a tutti i tipi di associazioni.

Economia

Quest'anno sarà ottimo per voi in campo economico. Raggiungerete l'obiettivo di cambiare lavoro e questo nuovo inizio vi porterà molte opportunità.

Il vostro coraggio sarà ammirato dagli altri, ma è importante scegliere bene le proprie battaglie, perché difendere ciò in cui si crede può talvolta avere conseguenze negative.

I pianeti vi daranno il via libera quando si tratta di denaro. Mercurio, il vostro pianeta dominante, vi appoggerà pienamente e farà in modo che i vostri conti bancari siano pieni di denaro.

A maggio Giove transita nel vostro segno, con effetti benefici sulle finanze e sulla carriera, oltre che sulle relazioni.

Le vostre risorse finanziarie aumenteranno sicuramente e sarà un buon anno per gli investimenti a lungo termine.

Naturalmente, tutto questo non avverrà senza sforzo: dovrete lavorare sodo, essere disciplinati e continuare a spingervi avanti per tutto l'anno.

Giove sarà favorevole a stabilire nuove connessioni con persone importanti e a rafforzare i vostri legami sociali.

Famiglia

Sarete più coinvolti emotivamente con coloro che considerate familiari. Volete che la vostra casa sia un santuario, uno spazio sicuro, e cercherete di eliminare i problemi in modo sano.

Durante i periodi di Mercurio retrogrado in casa, potreste rompere alcuni elettrodomestici o avere problemi con l'acqua. Questo non solo può essere fastidioso, ma può anche portare a conflitti familiari e, molto probabilmente, sarà colpa vostra. Siate pazienti, perché è molto probabile che questi apparecchi abbiano bisogno di una manutenzione ordinaria.

Quest'anno molti parenti stretti vi chiederanno spesso consigli, il che vi farà sentire indispensabili.

La vostra famiglia subirà alcuni cambiamenti sentimentali. Forse i vostri figli o fratelli vi presenteranno i loro nuovi partner, il che darà alla vostra famiglia una nuova dinamica. Questi cambiamenti saranno positivi.

Tornerete in contatto con le persone da cui vi eravate allontanati, darete loro una seconda possibilità e vi renderete conto che non tutto è come sembra.

Salute Gemelli

Dovete fare uno sforzo consapevole per dare priorità alla vostra salute fisica, ricordando che una buona salute è una componente essenziale per il successo in tutti gli ambiti della vostra vita. Dovete pianificare la perdita di peso e l'esercizio fisico regolare, soprattutto all'aria aperta.

Il modo in cui si mangia è importante, quindi bisogna prestare attenzione alla dieta, aumentando l'apporto di proteine e limitando i carboidrati per evitare l'aumento di peso e i problemi digestivi.

Alcuni Gemelli si sentiranno probabilmente stanchi, poiché il loro sistema immunitario sarà debole. Avranno fasi di scarsa energia, ma la situazione migliorerà e ritroveranno il loro vigore.

Se avete problemi di salute cronici, come il diabete o la pressione sanguigna, dovete fare attenzione durante tutto l'anno. Non dimenticate che il benessere inizia a casa. Incoraggiatevi a eliminare gli alimenti non salutari dalla vostra cucina e cercate di fare scorta di alimenti biologici. Questo è un buon momento per iniziare a preparare i pasti a casa invece di acquistare alimenti trasformati. Se iniziate a mangiare in questo modo, vi sentirete sempre meglio.

Date importanti

- ***20 maggio - Il Sole entra nei Gemelli***

- ***23 maggio - Venere entra nei Gemelli***

- ***Il 25 maggio il pianeta Giove entra nel vostro segno****. Inizia un periodo di grande azione, di nuove prospettive, di obiettivi che possono essere realizzati.*

- ***03 giugno - Mercurio entra nei Gemelli***

- ***6 giugno Luna nuova nel vostro segno.*** *Vi si presentano altre opportunità, quindi non dimenticate di sfruttarle al meglio.*

- ***Il 20 luglio il pianeta Marte transita nel vostro segno fino al 4 settembre****. Marte nel vostro segno vi riempirà di energia ed entusiasmo in modo da poter realizzare tutti i vostri obiettivi e le vostre mete. È il momento ideale per i nuovi inizi.*

15 dicembre Luna piena nel vostro segno*.* *Questo sarà il momento in cui otterrete i risultati di tutto ciò che avete fatto finora.*

Introduzione. Rituali

In questo libro vi offriamo vari incantesimi e rituali per attirare l'abbondanza economica nella vostra vita nel 2024, perché questo sarà un anno di molte sfide.

Quando tutto sembra andare a rotoli, l'aiuto spirituale è tempestivo.

La magia funziona. La maggior parte delle persone di successo, che ci crediate o no, la praticano, ma ovviamente non ve lo diranno. Hanno ottenuto i loro trionfi perché hanno eseguito con cura alcuni dei rituali che vi proponiamo in questo libro.

Se siete stanchi di fallire in amore negli ultimi anni, avete comprato il libro giusto, perché la vostra vita sentimentale cambierà completamente quando metterete in pratica i rituali che vi consigliamo.

Gli incantesimi di salute e i rituali di magia bianca vi aiuteranno a mantenere o a migliorare la vostra salute, ma non dimenticate mai che non sostituiscono il medico o i trattamenti da lui prescritti.

Gli incantesimi per la salute sono molto popolari nel mondo della magia, dopo gli incantesimi d'amore o di denaro, gli incantesimi per la salute sono molto ricercati per la loro grande efficacia, anche se non sono facili da lanciare perché la salute è un argomento delicato.

Ci sono un'infinità di ragioni per cui un rituale o un incantesimo potrebbero non funzionare, e noi commettiamo errori senza rendercene conto.

L'energia del rituale viene sprecata se troppe persone sanno cosa state facendo.

Per ottenere risultati positivi, è necessario esercitarsi al momento giusto.

Questi periodi magici sono legati all'astrologia e dobbiamo conoscerli e programmare i nostri rituali per questi periodi, che saranno i più adatti per eseguire la nostra magia.

Rituali di gennaio

Gennaio 2024

Domenica	**Lunedì**	**Martedì**	**Mercoledì**	**Giovedì**	**Venerdì**	**Sabato**
	1				**5**	
	8		**10**	**11** Luna Nuova		
21		**23**		**25** Luna piena	**26**	
	29	**30**	**31**			

11 gennaio 2024 Luna nuova in Capricorno 20°44'

25 gennaio 2024 Luna piena Leone5°14

I migliori rituali per il denaro

Giovedì 11 gennaio 2024 *(giorno di Giove). Luna nuova in Capricorno, segno di stabilità. Giornata favorevole per organizzare i nostri obiettivi, le nostre vocazioni, la nostra carriera, per ottenere onorificenze. Per chiedere un aumento, per fare presentazioni, per parlare in pubblico. Per incantesimi legati al lavoro o al denaro. Rituali legati all'ottenimento di promozioni, ai rapporti con i superiori e al raggiungimento del successo.*

Giovedì 25 gennaio 2024 *(giorno di Venere) Favorevole per incantesimi di denaro, amore e questioni legali. Rituali legati alla prosperità e all'ottenimento di un lavoro.*

Rituale per la fortuna nel gioco d'azzardo

Su un biglietto della lotteria, si scrive l'importo che si vuole vincere sul fronte del biglietto e il proprio nome sul retro. Bruciate il biglietto con una candela

verde. Raccogliete le ceneri in una carta viola e seppellitele.

Fare soldi con il Moon Bowl. Luna piena

È necessario:

- *1 bicchiere di cristallo*
- *1 piatto grande*
- *Sabbia fine*
- *Brillantini dorati*
- *4 tazze di sale marino*
- *1 quarzo malachite*
- *1 tazza di acqua di mare, di fiume o santa*
- *Bastoncini di cannella o cannella in polvere*
- *Basilico secco o fresco*
- *Prezzemolo fresco o secco*
- *Grani di mais*
- *3 note sulle denominazioni attuali*

Mettere nel bicchiere le tre banconote piegate, i bastoncini di cannella, i chicchi di mais, la malachite, il basilico e il prezzemolo. Mescolate i brillantini con la sabbia e aggiungeteli al bicchiere fino a riempirlo completamente. Sotto la luce della luna piena, posizionate il piatto con le quattro tazze di sale marino.

Porre la coppa al centro del piatto, circondata dal sale. Versare la tazza di acqua sacra nel piatto in modo che inumidisca bene il sale, lasciarlo lì tutta la notte alla luce della luna piena e parte del giorno finché l'acqua non evapora e il sale è di nuovo asciutto.

Aggiungere quattro o cinque grani di sale nel bicchiere e versare il resto.

Portate il bicchiere in casa, in un luogo visibile o nel luogo in cui tenete il denaro.

In ogni giorno di luna piena, spargete un po' del contenuto della ciotola in ogni angolo della casa e spazzatelo il giorno dopo.

I migliori rituali per l'amore

Venerdì 19 gennaio 2024 *(giorno di Venere). Adatto per incantesimi o rituali legati all'amore, ai contratti e alle collaborazioni.*

Incantesimo per addolcire la persona amata

Si scrive il nome completo della persona amata e il proprio nome sopra di esso per sette volte su un pezzo di carta marrone.

Mettete questa carta in un bicchiere e aggiungete miele, cannella, un quarzo rosa e pezzi di buccia d'arancia.

Mentre eseguite il rituale, ripetete nella vostra mente: "Ti amo e solo il vero amore regna tra noi". Conservatelo in un luogo buio.

Rituale per attrarre l'amore

È necessario

- Olio di rosa

- 1 quarzo rosa

- 1 mela

- 1 rosa rossa in un piccolo vaso

- 1 rosa bianca in un piccolo vaso

- 1 nastro rosso lungo

- 1 candela rossa

Per ottenere la massima efficacia, questo rituale dovrebbe essere eseguito il venerdì o la domenica, all'ora del pianeta Venere o di Giove.

È necessario consacrare la candela prima di iniziare il rituale con l'olio di rosa. Accendere la candela. Tagliate la mela in due pezzi e mettetene uno nel vaso di rose rosse e l'altro in quello di rose bianche. Legare il nastro rosso intorno ai due vasi. Lasciateli accanto alla candela per tutta la notte, finché la candela non si spegne. Mentre lo fate, ripetete nella vostra mente: "Che la persona destinata a rendermi felice appaia sul mio cammino, la accolgo e la accetto".

Quando le rose sono secche, seppellitele, insieme alle metà delle mele, nel vostro giardino o in un vaso con quarzo rosa.

Per attrarre l'amore impossibile

È necessario:
- 1 rosa rossa
- 1 rosa bianca
- 1 candela rossa
- 1 candela bianca
- 3 candele gialle
- Fontana di vetro
- Pentacolo di Venere #4

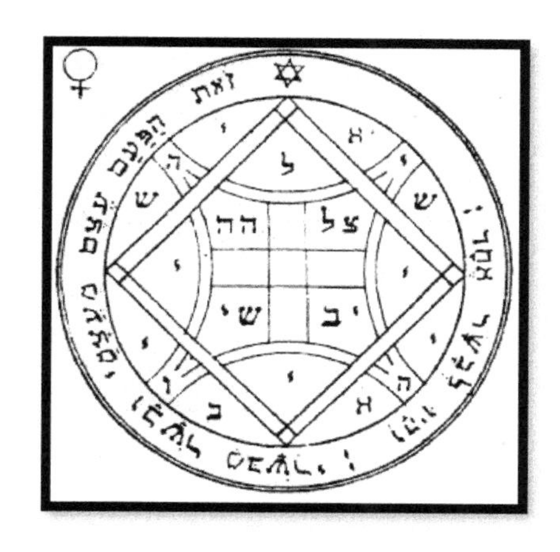

Pentacolo n. 4 di Venere.

Posizionate le candele gialle a forma di triangolo. Scrivete i vostri desideri d'amore e il nome della persona che volete nella vostra vita sul retro del pentagramma di Venere, posizionate la fontana sopra il pentagramma al centro. Accendete la candela rossa e la candela bianca e mettetele nella fontana insieme alle rose. Ripetete questa frase: "Universo, lascia che la luce dell'amore di (nome completo) entri nel mio cuore".

Ripetete questa operazione per tre volte. Quando le candele sono spente, portate tutto nel cortile e seppellite.

I migliori rituali per la salute

Martedì 30 gennaio 2024 (giorno di Marte). *Per proteggersi o recuperare la salute.*

Incantesimo per proteggere la salute dei nostri animali domestici

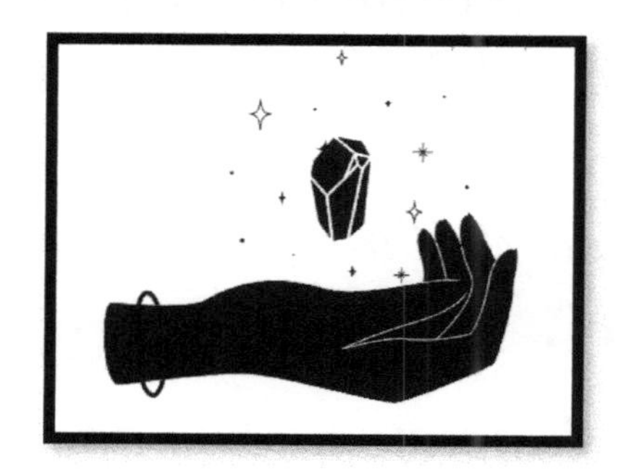

Fate bollire acqua minerale, timo, rosmarino e menta. Quando si raffredda, metterla in un flacone spray davanti a una candela verde e a una candela dorata.

Una volta consumate le candele, è necessario utilizzare questo spray sull'animale domestico per nove giorni. Soprattutto sul petto e sulla schiena.

Incantesimo di miglioramento immediato

Dovreste ottenere una candela bianca, una verde e una gialla.

Consacrateli (dalla base allo stoppino) con essenza di pino e disponeteli su un tavolo con una tovaglia azzurra a forma di triangolo.

Al centro, mettete un piccolo contenitore di vetro con l'alcol e una piccola ametista.

Sul fondo del contenitore, un foglio di carta con il nome del malato o una fotografia con nome e cognome e data di nascita sul retro.

Accendete le tre candele e lasciatele bruciare fino a consumarle completamente.

Durante l'esecuzione di questo rituale, visualizzare la persona completamente sana.

Incantesimo dimagrante

Pungersi il dito con uno spillo e mettere tre gocce di sangue e un cucchiaio di zucchero su un pezzo di carta bianca, quindi chiudere la carta e avvolgere il sangue nello zucchero.

Mettete questa carta in un contenitore di vetro nuovo e non decorato, riempitelo per metà di urina, lasciatelo per una notte davanti a una candela bianca e seppellitelo il giorno dopo.

Rituali per il mese di febbraio

Febbraio 2024

Domenica	Lunedì	Martedì	Mercoledì	Giovedì	Venerdì	Sabato
				1		
	5			**8**	**9** Luna Nuova	**10**
			21		**23** Luna piena	
25	**26**			**29**		

9 febbraio 2024 Luna Nuova Acquario 20°40

23 febbraio 2024 Luna piena Vergine 5°22

I migliori rituali per fare soldi

9 febbraio 2024 (giorno di Venere). In questa fase lavoriamo per aumentare o attrarre qualcosa. In questo ciclo, chiediamo che arrivi l'amore, che aumenti il denaro nei nostri conti o che aumenti il nostro prestigio sul lavoro.

Rituale per aumentare la clientela. Luna crescente gibbosa

È necessario:

- *5 foglie di ruta*
- *5 foglie di verbena*
- *5 foglie di rosmarino*
- *5 grani di sale marino grosso*
- *5 chicchi di caffè*
- *5 chicchi di grano*
- *1 pietra magnetica*
- *1 sacchetto di stoffa bianco*
- *Filo rosso*
- *Vernice rossa*
- *1 biglietto da visita*
- *1 vaso con una grande pianta verde*

- 4 quarzo citrino

Mettete tutti i materiali all'interno del sacchetto bianco, tranne il magnete, il cartone e i citrini.

Poi cucitelo con un filo rosso e scrivete il nome dell'azienda all'esterno con inchiostro rosso. Lasciate il sacchetto sotto il bancone o in un cassetto della scrivania per un'intera settimana.

Trascorso questo tempo, seppellitela sul fondo del vaso insieme alla pietra magnetica e al biglietto da visita. Infine, posizionate i quattro citrini sopra la terra nel vaso, in direzione dei quattro punti cardinali.

Incantesimo di prosperità

È necessario:

- 3 piriti o quarzo citrino

- 3 monete d'oro

- 1 candela dorata

- 1 bustina rossa

Il primo giorno di Luna Nuova, sistemate un tavolo vicino a una finestra; disponete le monete e il quarzo a forma di triangolo sul tavolo. Accendete la candela, mettetela al centro e, guardando il cielo, ripetete per tre volte la seguente preghiera:

"Luna che illumini la mia vita, usa il potere che hai per attrarre denaro verso di me e fai moltiplicare queste monete".

Quando la candela si è spenta, mettete le monete e il quarzo con la mano destra nel sacchetto rosso, portatelo sempre con voi: sarà il vostro talismano per attirare il denaro, nessuno deve toccarlo.

I migliori rituali per l'amore
11, 22, 25 febbraio 2024. Per incantesimi o rituali legati all'amore, ai contratti e alle collaborazioni.

Rituale per consolidare l'amore

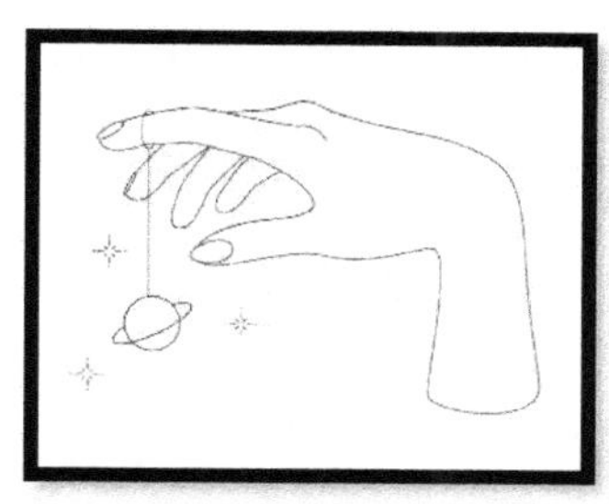

Questo incantesimo è più efficace durante la fase di Luna piena.

È necessario:
- 1 scatola di legno
- Fotografie
- Mel
- Petali di rosa rossa
- 1 quarzo ametista
- Bastoncini di cannella

Prendete le foto, scriveteci sopra i loro nomi e cognomi e le date di nascita e mettetele all'interno della scatola in modo che siano una di fronte all'altra.

Aggiungere il miele, i petali di rosa, l'ametista e la cannella.

Mettete la scatola sotto il letto per tredici giorni. Trascorso questo tempo, togliete l'ametista dalla scatola e lavatela con acqua di luna.

Dovrebbe essere conservato come amuleto per attirare l'amore che si desidera. Il resto dovrebbe essere portato in un fiume o in una foresta.

Rituale per salvare un amore in declino

È necessario:
- 2 candele rosse
- 1 pezzo di carta gialla
- 1 busta rossa
- 1 matita rossa
- 1 foto della persona amata e 1 foto di voi stessi
- 1 contenitore di metallo
- 1 nastro rosso
- Nuovo ago da cucito

Questo rituale è più efficace durante la fase di luna crescente e il venerdì in corrispondenza del pianeta Venere o del Sole. Le candele vanno consacrate con olio di rosa o di cannella.

Scrivete il vostro nome e quello del vostro compagno sul foglio giallo con la matita rossa. Scrivete anche quello che volete con parole brevi ma precise. Scrivete i nomi su ogni candela con l'ago da cucito. Accendete le candele e mettete la carta tra le fotografie, faccia a faccia, e legatele insieme con il nastro. Bruciate le foto nel contenitore di metallo con la candela con il vostro nome e ripetete ad alta voce:

"La nostra è rafforzata dalla forza dell'universo e da tutte le energie che esistono nel tempo".

Mettete la cenere nella busta e, quando le candele si sono spente, mettete la busta sotto il materasso alla testa del letto.

I migliori rituali per la salute

4,12,19 febbraio 2024. Questo periodo è consigliabile per gli interventi chirurgici, in quanto favorisce la capacità di guarigione.

Rituale per la salute

Far bollire in un tegame alcuni petali di rosa bianca, rosmarino e ruta. Una volta raffreddato, aggiungete l'essenza di rosa e l'olio di mandorle. Accendete cinque candele viola nel vostro bagno, che avrete precedentemente consacrato con olio di arancio ed eucalipto. Scrivete il nome della persona su una delle candele. Fate un bagno con quest'acqua e, mentre lo fate, visualizzate che la malattia non si avvicinerà a voi o alla vostra famiglia.

Rituale per la salute durante la fase di luna crescente

Mettete su un foglio di alluminio il sale marino, 3 spicchi d'aglio, 4 foglie di alloro, 5 foglie di ruta, una tormalina nera e un pezzo di carta con il nome della

persona. Piegate la carta e legatela con un nastro viola. Portate questo amuleto con voi nella tasca della giacca o nella borsa.

Rituali per il mese di marzo

Marzo 2024

Domenica	Lunedì	Martedì	Mercoledì	Giovedì	Venerdì	Sabato
					1	
		5			**8**	**9**
10 Luna Nuova						
				21		**23**
24 Luna piena	**25**	**26**			**29**	**30**
31						

10 marzo 2024 Luna Nuova Pesci 20°16'.

24 marzo 2024 Luna piena Bilancia 5°07' (eclissi lunare penombra le 5°13')

I migliori rituali per fare soldi

8,10,22 marzo 2024. Rituali legati alla prosperità e all'ottenimento di un lavoro.

Incantesimi per avere successo ai colloqui di lavoro.

Mettete tre foglie di salvia, basilico, prezzemolo e ruta in un sacchetto verde. Aggiungete un quarzo occhio di tigre e una malachite.

Chiudete il sacchetto con un nastro dorato. Per attivarlo, mettetelo nella mano sinistra all'altezza del cuore e, qualche centimetro più in alto, appoggiateci sopra la mano destra, chiudete gli occhi e immaginate che l'energia bianca esca dalla mano destra verso la mano sinistra, coprendo il sacchetto.

Tenetelo nel portafoglio o in tasca.

Rituale per far sì che il denaro sia sempre presente in casa.

Vi serviranno un barattolo di vetro bianco, fagioli neri, fagioli rossi, semi di girasole, chicchi di mais, chicchi di grano e incenso alla mirra.

Mettete tutto nella bottiglia nello stesso ordine, chiudetela con un coperchio di sughero e versate il fumo dell'incenso nella bottiglia. Poi mettetela come decorazione in cucina.

Incantesimo gitano per la prosperità

Prendete un vaso di argilla di medie dimensioni e coloratelo di verde. Mettete sul fondo un po' di mirra, una moneta e qualche goccia di olio d'oliva. Coprite con uno strato di terra e aggiungete i semi della vostra

pianta preferita. Aggiungete cannella e altro terriccio. Tenetelo in sala da pranzo e innaffiatelo per farlo crescere.

I migliori rituali per l'amore

1°, 17, 24, 29 marzo 2024

Rituale per scongiurare i problemi di coppia

Questo rituale dovrebbe essere praticato durante l'eclissi lunare o la fase di Luna piena.

È necessario:
- 1 nastro bianco
- 1 paio di forbici nuove
- 1 biro rossa

Scrivete sul nastro bianco, con inchiostro rosso, il problema che avete e il nome della persona. Poi tagliatelo in sette pezzi con le forbici e, mentre lo fate, ripetete ad alta voce:

"Questo è il mio problema. Voglio che tu vada via e non torni mai più. Per favore, portatelo via da me. È così che stanno le cose.

Mettete tutto in un sacco nero e seppellitelo.

Legami d'amore

È necessario:

- Erba buona

- Basilico

- Foto a figura intera della persona amata senza occhiali

- Foto del corpo intero senza occhiali

- 1 sciarpa di seta gialla

- 1 scatola di legno

Inserite le due fotografie all'interno della scatola con il nome scritto sul retro di ognuna. Mettete il fazzoletto giallo all'interno e cospargetelo di basilico e di erba buona. Lasciatelo esposto alle energie della luna. Il giorno dopo, seppellitelo in un luogo dove nessuno lo sappia. Mentre scavate la buca, visualizzate ciò che volete. Quando arriva la luna piena, dissotterrate la scatola e gettatela in un fiume o nel mare.

I migliori rituali per la salute

Qualsiasi giorno tranne il sabato.

Incantesimo di depressione

Prendete un fico con la mano destra e mettetelo nella parte sinistra della bocca, senza masticarlo o ingoiarlo. Poi prendete un acino d'uva con la mano sinistra e mettetelo sul lato destro della bocca, senza masticarlo. Quando avrete entrambi gli acini in bocca, mordeteli contemporaneamente e ingoiateli: il fruttosio che emettono vi darà energia e gioia.

Incantesimo di recupero

Elementi necessari:

-1 candela bianca o rosa

-Petali di rosa

-Olio di eucalipto

-Olio di limone

-Olio di arancia

Scrivere il nome della persona che ha bisogno dell'incantesimo con un ago da cucito. Consacrare la candela con gli oli sotto la luna piena, ripetendo: "Terra, Aria, Fuoco, Acqua portano Pace, Salute, Gioia e Amore nella vita di (dire il nome della persona)". Lasciare che la candela bruci completamente. I resti possono essere gettati ovunque.

Rituali per il mese di aprile

Aprile 2024

Domenica	Lunedì	Martedì	Mercoledì	Giovedì	Venerdì	Sabato
	1				**5**	
	8 Luna Nuova	**9**	**10**			
21	**22** Luna piena	**23**		**25**	**26**	
	29	**30**				

8 aprile 2024 Luna nuova ed eclissi solare totale in Ariete19°22 '.

22 aprile 2024 Scorpione Luna Piena 23°:48'

I migliori rituali per il denaro

8, 7, 13, 22 aprile 2024

Incantesimo "Aprire le vie dell'abbondanza".

È necessario:
- Laureerò
- Romero
- 3 monete d'oro
- 1 candela dorata
- Candela d'argento
- 1 candela bianca

Eseguire dopo 24 ore dalla Luna Nuova.

Disporre le candele a forma di piramide, mettere una moneta accanto a ciascuna di esse e le foglie di alloro e rosmarino al centro di questo triangolo. Accendete le candele in quest'ordine: prima l'argento, il bianco e l'oro. Ripetete questa invocazione: "Con il potere dell'energia purificatrice e dell'energia infinita, invoco l'aiuto di tutte le entità che mi proteggono per guarire la mia economia".

Lasciate che le candele brucino completamente e conservate le monete nel portafoglio; queste tre monete non devono essere spese. Quando l'alloro e il rosmarino sono secchi, bruciateli e fate passare il fumo di questo incenso per la casa o l'azienda.

I migliori rituali per l'amore

2, 13, 17 aprile 2024

Amore marocchino

È necessario:
- La saliva dell'altra persona
- Il sangue di qualcun altro

- Acqua di rose
- 1 sciarpa rossa
- Filo rosso
- 1 quarzo rosa
- 1 tormalina nera

Mettete il fazzoletto rosso su un tavolo. Mettete la terra sopra il fazzoletto e, sopra di essa, saliva, quarzo rosa, tormalina nera e il sangue della persona che volete attrarre. Cospargete il tutto con acqua di rose e legate il foulard con il filo rosso, facendo attenzione che i componenti non si stacchino. Seppellire il fazzoletto.

Incantesimo per addolcire la persona amata

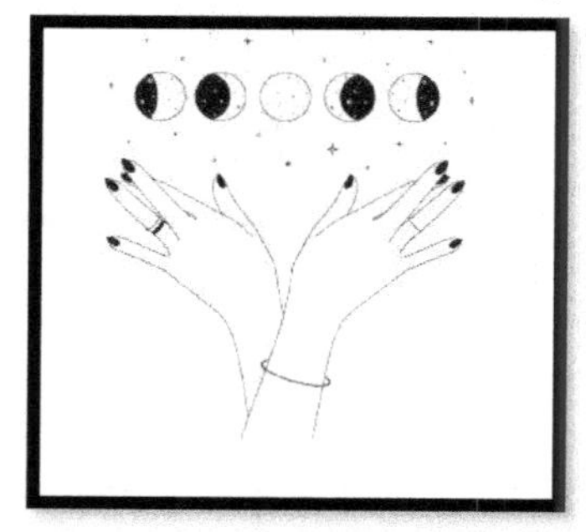

Scrivete il nome completo della persona amata e il vostro sopra per sette volte su un pezzo di carta marrone. Mettete questa carta in un bicchiere di cristallo e aggiungete miele, cannella, un quarzo rosa e pezzi di buccia d'arancia. Mentre eseguite il rituale, ripetete nella vostra mente: "Ti amo e solo il vero amore regna tra noi".

Conservare in un luogo buio.

I migliori rituali per la salute

13, 21 e 27 aprile 2024.

Incantesimo romano per la salute

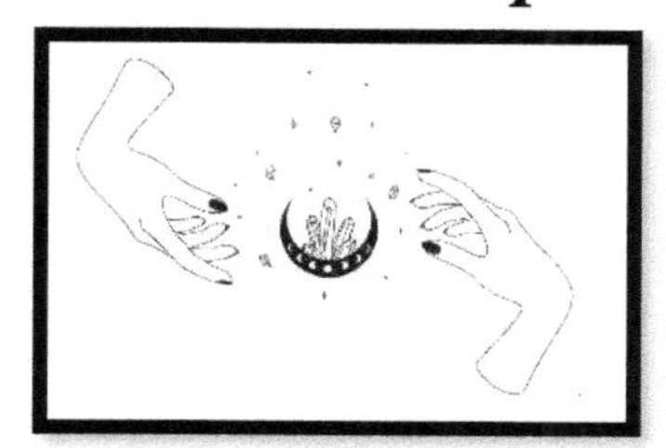

Aggiungere cinque foglie di rosmarino, ruta e petali di rosa bianca e farli bollire. Una volta freddo, ponete il composto sul terzo pentagramma di Mercurio per tre ore. Aggiungete essenza di sandalo, rosa e olio di lavanda. Offrire questi bagni agli Angeli custodi del bambino per cinque giorni, accendendo una candela viola per trasformare il negativo in positivo, che deve essere precedentemente consacrato con olio di mandarino.

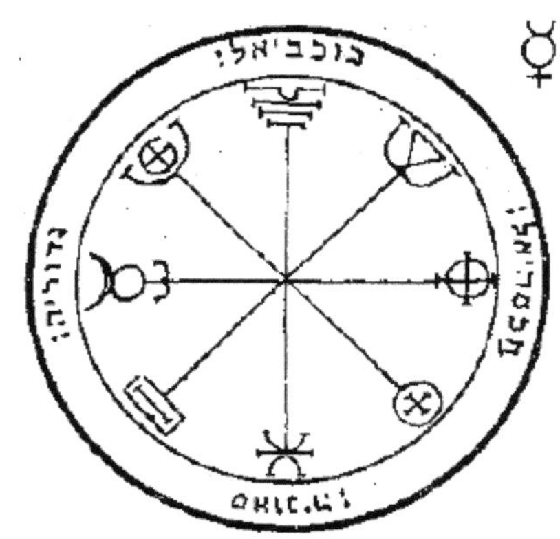

Terzo Pentacolo di Mercurio

Rituali per il mese di maggio

Maggio 2024

Domenica	Lunedì	Martedì	Mercoledì	Giovedì	Venerdì	Sabato
			1			
5			**8** Luna Nuova	**9**	**10**	
		21	**22** Luna piena	**23**		**25**
26			**29**	**30**	**31**	

8 maggio 2024 Toro Luna Nuova 18°01'.

22 maggio 2024 Luna Piena Sagittario 2°54'

I migliori rituali per fare soldi

6, 13, 21, 25 maggio 2024

Mezzaluna "Magnete del denaro

È necessario:

- 1 bicchiere da vino vuoto

- 2 candele verdi

- 1 manciata di riso bianco

- 12 monete a corso legale

- 1 magnete

- Riso bianco

Accendere le due candele, una per ogni lato del bicchiere. Posizionate la calamita sul fondo del bicchiere. Poi prendete una manciata di riso bianco e mettetela nel bicchiere. Poi mettete le dodici monete nel bicchiere. Quando le candele si sono consumate fino alla fine, mettete le monete nell'angolo di prosperità della vostra casa o della vostra azienda.

Incantesimo per ripulire la casa o l'azienda dalla negatività.

È necessario:

- *Un guscio d'uovo*
- *1 mazzo di fiori bianchi*
- *Acqua sacra o acqua di luna piena*
- *Latte*
- *Cannella in polvere*
- *Nuovo secchio per la pulizia*
- *Nuovo mo'*

Iniziate spazzando la casa o l'azienda dall'interno verso l'esterno, ripetendo nella vostra mente di far uscire il negativo e di far entrare il positivo. Mescolate tutti gli ingredienti nel secchio e pulite il pavimento dall'interno all'esterno della porta di casa.

Lasciate asciugare il pavimento e spazzate i fiori fino alla porta della strada, raccoglieteli e gettateli nella spazzatura insieme al secchio e allo spazzolone. Non toccate nulla con le mani. Dovreste farlo una volta alla settimana, preferibilmente all'ora del pianeta Giove.

I migliori rituali per l'amore

22 maggio Luna piena.

Legami d'amore indissolubili

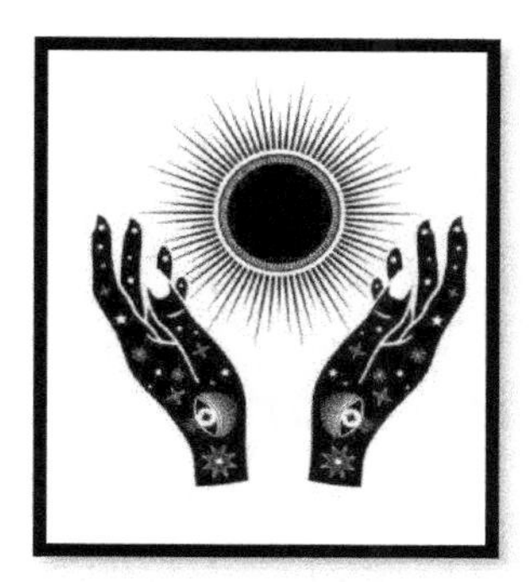

È necessario:
- 1 nastro verde
- 1 pennarello rosso

Prendete il nastro verde e scrivete con inchiostro rosso il vostro nome e cognome e quello della persona che amate. Poi scrivete per tre volte le parole amore, Venere e passione. Legate il nastro al vostro capezzale e fate un nodo ogni notte per nove notti consecutive. Trascorso questo tempo, legate il nastro con tre nodi sul braccio sinistro. Quando il nastro si rompe, bruciatelo e gettatene le ceneri in mare o in un luogo dove scorre l'acqua.

Rituale perché io ami solo te

Questo rituale è più efficace se viene eseguito durante la fase di luna crescente e di venerdì, all'ora del pianeta Venere.

È necessario:
- 1 cucchiaio di miele
- 1 Pentacolo #5 di Venere.
- 1 pennello con vernice rossa
- 1 candela bianca
- 1 ago da cucito nuovo

Pentacolo n. 5 di Venere.

Sul retro del pentagramma di Venere scrivete con inchiostro rosso il nome completo della persona che amate e come volete che si comporti nei vostri confronti, dovete essere precisi. Poi immergetelo nel miele e avvolgetelo intorno alla candela in modo che si attacchi alla candela stessa. Fissatelo con un ago da cucito. Quando la candela si spegne, seppellite i resti e ripetete ad alta voce: "L'amore di (nome) appartiene solo a me".

Tè per dimenticare un amore

È necessario:
- 5 foglie di menta
- 1 cucchiaio di miele
- 3 bastoncini di cannella

Fate bollire tutti gli ingredienti in una tazza d'acqua e lasciate in infusione. Bevetelo pensando a tutto il male che quella persona vi ha fatto. Gli uomini dovrebbero berlo il martedì o il mercoledì sera prima di andare a letto e le donne il lunedì o il venerdì prima di andare a letto.

Rituale delle unghie per amore

Tagliate le unghie delle mani e dei piedi e mettetele in una padella di metallo a fuoco medio per far tostare tutti i residui delle unghie. Rimuoverle e ridurle in polvere. Dare questa polvere al partner con la sua bevanda o il suo pasto.

.

I migliori rituali per la salute

Qualsiasi giorno del maggio 2024. Tranne il sabato.

Formula magica per una pelle luminosa

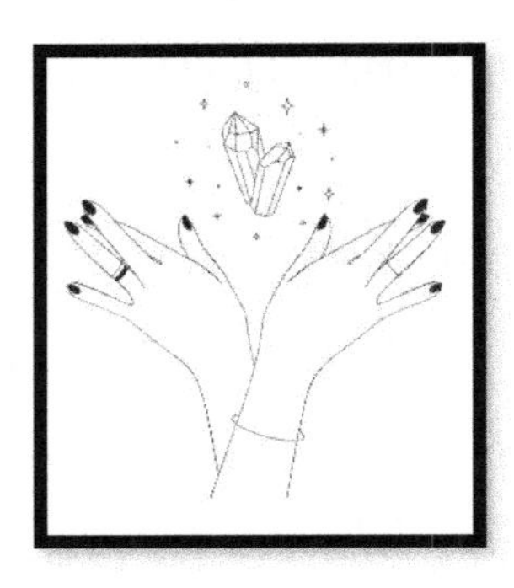

Mescolare otto cucchiai di miele, otto cucchiaini di olio d'oliva, otto cucchiai di zucchero di canna, una

buccia di limone grattugiata e quattro gocce di succo di limone. Una volta ottenuta una pasta omogenea, massaggiatela su tutto il corpo per cinque minuti.

Poi si fa la doccia alternando acqua calda e fredda.

Incantesimo per curare il mal di denti

Bisogna fare una stella a cinque punte con il sale marino, grande perché bisogna mettersi al centro.

Ad ogni estremità, ponete una candela nera e il simbolo del Tetragramma (potete stampare l'immagine), foglie di rosmarino, foglie di alloro, bucce di mela e foglie di lavanda.

Quando sono le 12.00, posizionatevi al centro, accendete le candele e ripetete:

sanus ossa mea sunt: et labia circa dentes meos

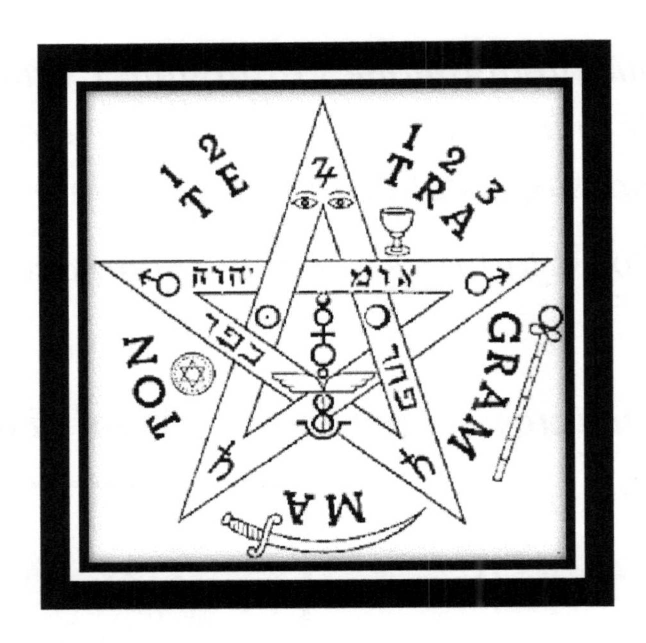

Simbolo del Tetragramma

Rituali per il mese di giugno

Giugno 2024

Domenica	Lunedì	Martedì	Mercoledì	Giovedì	Venerdì	Sabato
						1
			5	6 Luna Nuova		8
	10					
				20 Luna piena	21	
23		25	26			29
30						

6 giugno 2024 Luna Nuova dei Gemelli 16°17'.

20 giugno 2024 Luna piena in Capricorno 1°06'.

I migliori rituali per il denaro

6, 13, 20, 27 sono giovedì, giorni di Giove.

Incantesimo gitano per la prosperità

.

Prendete un vaso di argilla di medie dimensioni e coloratelo di verde. Mettete sul fondo un po' di mirra, una moneta e qualche goccia di olio d'oliva. Coprite con uno strato di terra e aggiungete i semi della vostra pianta preferita. Aggiungete cannella e altro terriccio. Tenetelo in sala da pranzo e innaffiatelo per farlo crescere.

Fumigazione magica per migliorare l'economia domestica.

Accendete tre braci in un contenitore di metallo o di terracotta e aggiungete un cucchiaio di cannella,

rosmarino e bucce di mela essiccate. Fate girare il contenitore intorno alla casa, in senso orario.

Mettete quindi i petali di rosa bianca in un secchio d'acqua e lasciate riposare per tre ore.

Con quest'acqua pulirete la vostra casa.

Essenza miracolosa per attrarre il lavoro.

Mettete 32 gocce di alcol, 20 gocce di acqua di rose, 10 gocce di acqua di lavanda e alcune foglie di gelsomino in una bottiglia di vetro scuro.

Lo si scuote più volte pensando a ciò che si vuole attrarre.

Mettetelo in un diffusore e usatelo a casa, in ufficio o come profumo personale.

Incantesimo per lavarsi le mani e attirare denaro.

Avrete bisogno di un vaso di argilla, miele e acqua di luna piena.

Lavatevi le mani con questo liquido, ma conservate l'acqua nella padella.

Poi lasciate la pentola davanti a un'attività commerciale fiorente o a una casa da gioco.

I migliori rituali per l'amore

Qualsiasi giorno del giugno 2024. Tranne il sabato.

Rituale per prevenire le rotture

È necessario:
- 1 vaso di fiori rossi
- Mel
- Pentacolo di Venere n. 1
- 1 candela piramidale rossa
- Foto della persona amata
- 7 candele gialle

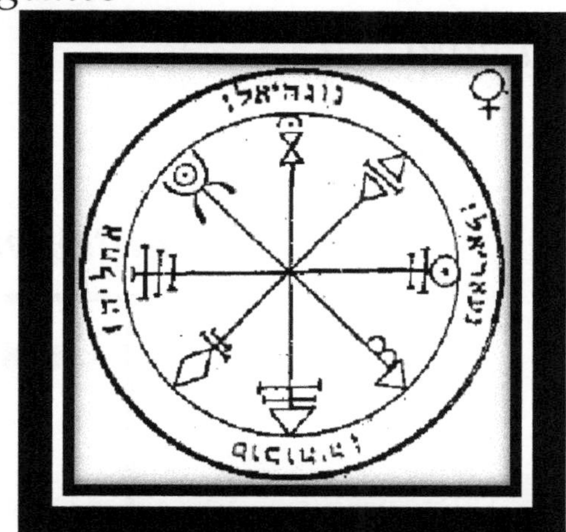

Pentacolo n. 1 di Venere.

Accendete le sette candele gialle in cerchio. Poi scrivete il seguente incantesimo dietro il pentagramma di Venere:

"Ti chiedo di amarmi per tutta la vita, mio carissimo amore" e il nome dell'altra persona. Seppellite questo pentagramma nel vaso dopo averlo piegato in cinque pezzi insieme alla fotografia. Accendete la candela rossa e versate del miele nella terra del vaso.

Mentre lo fate, ripetete ad alta voce il seguente incantesimo: "Grazie al potere dell'Amore, chiediamo che (nome della persona), con un sentimento di vero amore che è il mio, sia preservato in modo che nessuno e nessuna forza possa separarci".

Quando le candele si consumano, gettiamo i resti nella spazzatura. Teniamo il vaso a portata di mano e curiamolo.

Incantesimo erotico

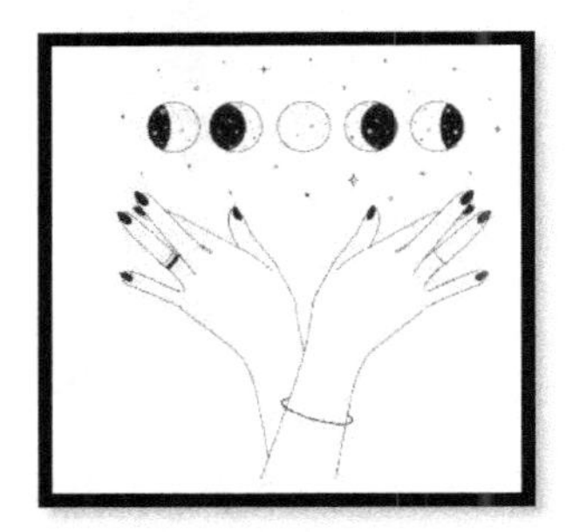

Si riceve una candela rossa a forma di pene o di vagina (a seconda del sesso della persona che lancia l'incantesimo). Scrivete il nome dell'altra persona sulla candela.

Si deve ungere con olio di girasole e cannella.

Si dovrebbe accendere una volta al giorno, lasciandolo bruciare fino a due centimetri.

Quando la candela è stata completamente consumata, mettetene i resti in un sacchetto di stoffa rossa insieme al pentagramma di Marte n. 4.

Questa bustina va tenuta sotto il materasso per quindici giorni.

Dopo questo periodo, è possibile gettarlo nella spazzatura.

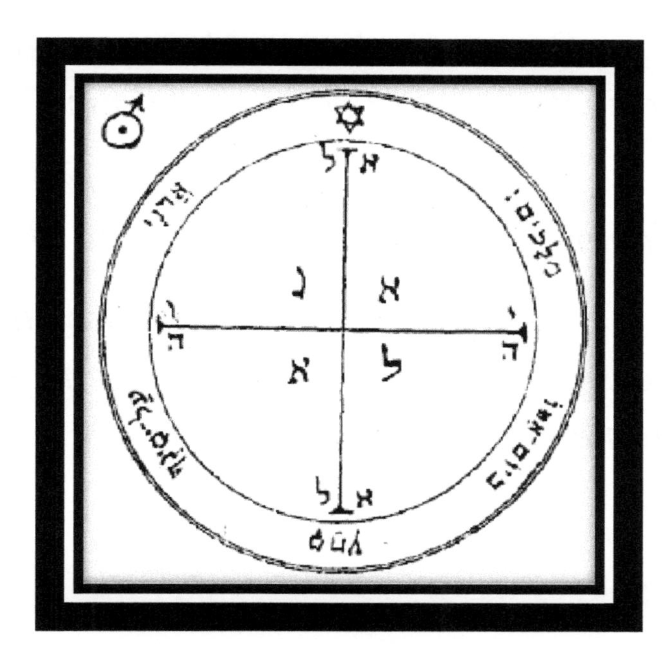

Pentacolo #4 Marte

Rituale dell'uovo per l'attrazione

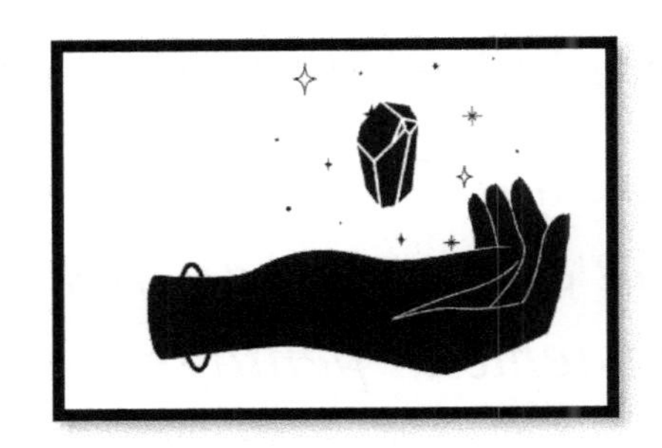

È necessario:

- 4 uova

- Vernice gialla

Dovete colorare le quattro uova di giallo e scrivere la frase "lui viene da me".

Prendete due uova e rompetele negli angoli davanti alla casa della persona che volete attirare.

Si rompe un altro uovo davanti alla casa di quella persona. Il terzo giorno si getta il quarto uovo in un fiume.

Incantesimo d'amore africano

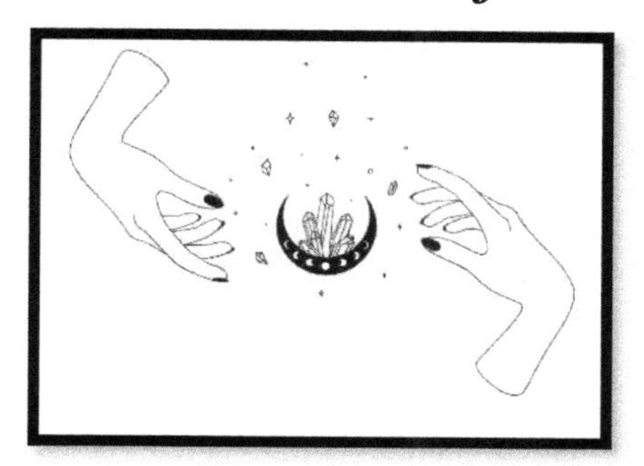

È necessario:
- 1 uovo
- 5 candele rosse
- 1 sciarpa nera
- Zucca
- Olio di cannella
- 5 aghi per cucire
- Miele d'api
- Olio d'oliva
- 5 pezzi di pasta di pane
- Pepe di Guinea

Fate un buco nella zucca, scrivete il nome completo della persona che volete attirare su un pezzo di carta e mettetelo dentro la zucca.

Forare la zucca con gli aghi, ripetendo il nome della persona. Versare gli altri ingredienti nella zucca e avvolgerla in una sciarpa nera. Lasciate la zucca così avvolta per cinque giorni davanti alle candele rosse, una al giorno. Il sesto giorno, seppellite la zucca sulla riva di un fiume.

I migliori rituali per la salute

Qualsiasi giorno del giugno 2024

Incantesimo dimagrante

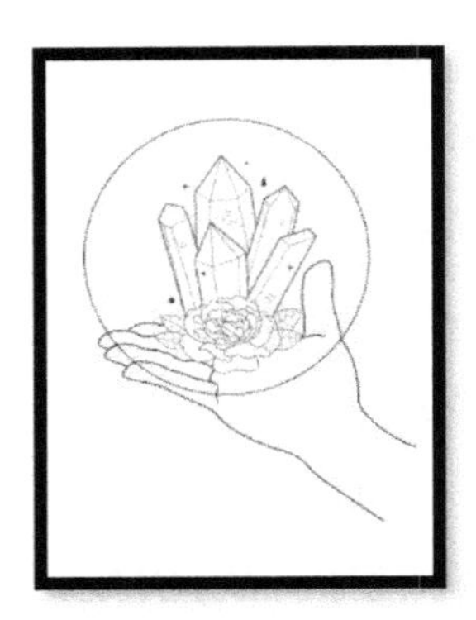

Pungersi il dito con uno spillo e mettere tre gocce di sangue e un cucchiaio di zucchero su un pezzo di carta bianca, quindi chiudere la carta e avvolgere il sangue nello zucchero.

Mettete questa carta in un contenitore di vetro nuovo e non decorato, riempitelo per metà di urina, lasciatelo per una notte davanti a una candela bianca e seppellitelo il giorno dopo.

Incantesimo per mantenere la salute

Elementi necessari.

-1 candela bianca.

-1 santino dell'Angelo della vostra devozione.

-3 incenso al sandalo.

-Carbone vegetale.

-Erbe secche di eucalipto e basilico.

-Una manciata di riso, una manciata di grano.

-1 piatto o vassoio bianco.

-8 petali di rosa.

-1 flacone di profumo, ragazzi.

-1 scatola di legno.

Pulire la stanza accendendo i tizzoni in un contenitore di metallo. Quando i tizzoni sono ben accesi, metteteci sopra le erbe secche, un po' alla volta, e girate per la stanza con il contenitore in modo da eliminare le energie negative.

Quando l'incenso è terminato, si devono aprire le finestre in modo che il fumo si disperda.

Preparate un altare su un tavolo coperto da una tovaglia bianca. Posizionare il santo prescelto e intorno ad esso i tre bastoncini d'incenso a forma di triangolo. Consacrate la candela bianca, poi accendetela e mettetela davanti all'angelo, insieme al profumo scoperto.

Dovete essere rilassati e concentrarvi sulla respirazione. Visualizzate il vostro angelo e ringraziatelo per tutta la salute che avete e che avrete sempre, questa gratitudine deve venire dal profondo del cuore.

Dopo aver detto il vostro ringraziamento, gli darete la manciata di riso e la manciata di grano come offerta, che egli dovrà porre sul vassoio o sul piatto bianco.

Spargete tutti i petali di rosa sull'altare, ringraziando ancora per i favori ricevuti. Quando avete finito di ringraziare, lasciate la candela accesa finché non si consuma completamente. L'ultima cosa da fare è raccogliere tutti i resti della candela, dell'incenso, del riso e del grano, metterli in un sacchetto di plastica e gettarlo in un luogo dove ci sono alberi senza il sacchetto.

Mettete il biglietto dell'angelo e i petali di rosa all'interno della scatola e riponetela in un luogo sicuro della vostra casa. Il profumo energizzato, utilizzatelo quando sentite un calo di energia, visualizzando il vostro angelo e chiedendo la sua protezione.

Bagno protettivo prima di un intervento chirurgico

Elementi necessari:

- *Campana viola*
- *Acqua di cocco*
- *Cascarilla*
- *Colonia 1800*
- *Sempre vivo*
- *Foglie di menta*
- *Foglie di ruta*
- *Foglie di rosmarino*
- *Candela bianca*

- Olio di lavanda

Far bollire tutte le piante nell'acqua di cocco, quando si raffredda, filtrare e aggiungere la corteccia, l'acqua di colonia e l'olio di lavanda e accendere la candela nella zona ovest del bagno. Versare la miscela nell'acqua del bagno. Se non avete una vasca da bagno, versatela su voi stessi e non sedetevi.

Rituali di luglio

Luglio 2024

Domenica	**Lunedì**	**Martedì**	**Mercoledì**	**Giovedì**	**Venerdì**	**Sabato**
	1				**5**	**6** Luna Nuova
	8		**10**			
						20 Luna piena
21		**23**		**25**	**26**	
	29	**30**	**31**			

6 luglio 2024 Luna nuova in Cancro 14°23'.

20 luglio 2024 Luna piena del Capricorno 29°08'

I migliori rituali per il denaro

Il 6, 20 e 22 luglio il Sole entra in Leone.

Pulizia per ottenere clienti.

Pestare dieci nocciole sgusciate e un rametto di prezzemolo in un mortaio e pestello.

Far bollire due litri di acqua Full Moon e aggiungere gli ingredienti tritati. Lasciare bollire per dieci minuti e poi filtrare.

Con questo infuso, pulirete i pavimenti della vostra azienda, dalla porta principale al retro.

Ripetete questa pulizia ogni lunedì e giovedì per un mese, possibilmente nel periodo del pianeta Mercurio.

Attira l'abbondanza materiale. Luna crescente

È necessario:

- 1 moneta d'oro o un oggetto d'oro, senza pietre.

- 1 moneta di rame

- 1 moneta d'argento

In una notte di luna crescente, con le monete in mano, recatevi in un luogo dove i raggi della luna le illumineranno.

Con le mani alzate, ripetete: "Luna, aiutami affinché la mia fortuna cresca sempre e la prosperità sia sempre con me".

Fate in modo che le monete tocchino le vostre mani.

Poi conservateli nel portafoglio. Potete ripetere questo rituale ogni mese.

Incantesimo per creare uno scudo economico per la vostra azienda o il vostro lavoro.

È necessario:

- *5 petali di fiori gialli*
- *Semi di girasole*
- *Buccia di limone essiccata al sole*
- *Farina di frumento*
- *3 monete per tutti i giorni*

Pestare i fiori gialli e i semi di girasole in un mortaio e pestello, quindi aggiungere la scorza di limone e la farina di frumento.

Mescolare bene gli ingredienti e conservarli insieme alle tre monete in un barattolo a chiusura ermetica.

Questo preparato deve essere utilizzato ogni mattina prima di uscire di casa.

Porre nel barattolo prima la punta delle cinque dita della mano sinistra e poi quella della mano destra, quindi strofinarle tra loro con i palmi delle mani.

I migliori rituali per l'amore

Un giorno qualsiasi di luglio.

Incantesimo di denaro espresso.

Questo incantesimo è più efficace se viene lanciato di giovedì.

Riempire una ciotola di vetro con il riso.

Accendete quindi una candela verde (che avrete consacrato in precedenza) e ponetela al centro della fontana.

Accendete l'incenso alla cannella e girate intorno alla fontana con il suo fumo per sei volte in senso orario.

Mentre lo fate, ripetete mentalmente: "Apro la mia mente e il mio cuore alla ricchezza".

L'abbondanza viene a me ora e tutto va bene.

L'universo sta irradiando ricchezza nella mia vita in questo momento. Gli avanzi si possono buttare nella spazzatura.

Bagno per attrarre guadagni economici

È necessario:

- 1 pianta di ruta

- Acqua fiorita

- 5 fiori gialli

- 5 cucchiai di miele

- 5 bastoncini di cannella

- 5 gocce di essenza di sandalo

- 1 bastoncino di incenso al sandalo

Il primo giorno di luna crescente, in un momento favorevole alla prosperità, fate bollire tutti gli ingredienti per cinque minuti, tranne l'Agua florida e l'incenso. Dividete questo bagno perché dovreste farlo per cinque giorni. Ciò che non viene utilizzato deve essere conservato al freddo. Aggiungere un po' di Agua florida al preparato e accendere l'incenso. Fate il bagno e sciacquatevi come al solito. Fate gocciolare lentamente il preparato dal collo ai piedi. Procedere in questo modo per cinque giorni consecutivi.

I migliori rituali per la salute

Un giorno qualsiasi di luglio.

Incantesimo per il dolore cronico.

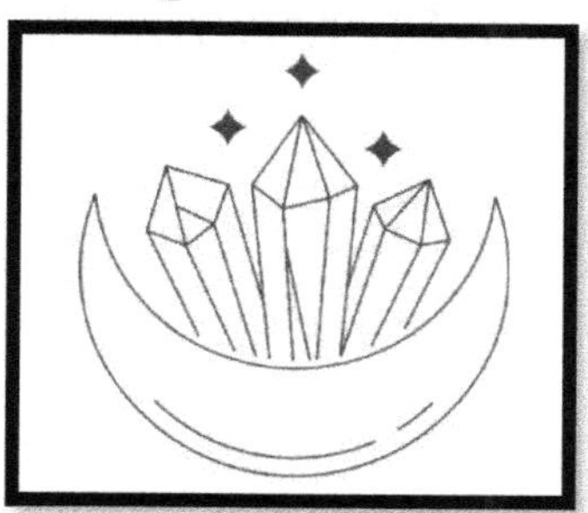

Elementi necessari:

-1 candela d'oro

-1 candela bianca

-1 candela verde

-1 Tormalina nera

-1 foto di sé o di un oggetto personale

-1 bicchiere di acqua di luna

-Foto della persona o dell'oggetto personale

Disporre le 3 candele a forma di triangolo e collocare al centro la fotografia o l'oggetto personale. Posizionare il bicchiere di acqua di luna sopra la foto e versare la tormalina all'interno. Poi accendete le candele e ripetete il seguente incantesimo: "Accendo questa candela per ottenere la mia guarigione, invocando i miei fuochi interiori e le salamandre e le ondine protettrici, affinché trasmettano questo dolore e questo disagio nell'energia curativa della salute e del benessere". Ripetete questa preghiera per tre volte. Una volta terminata la preghiera, prendete il bicchiere, togliete la tormalina e versate l'acqua in uno scarico della casa, spegnete le candele con le dita e tenetele per ripetere questo incantesimo fino a quando non vi sarete completamente ripresi. La tormalina può essere utilizzata come amuleto della salute.

Incantesimo di miglioramento immediato

Prendete una candela bianca, una verde e una gialla. Consacratele (dalla base allo stoppino) con essenza di pino e disponetele su un tavolo con una tovaglia azzurra, a forma di triangolo. Al centro, mettete un

piccolo contenitore di vetro con alcol e una piccola ametista. Alla base del contenitore, un foglio di carta con il nome del malato o una fotografia con il suo nome e cognome sul retro e la sua data di nascita. Accendete le tre candele e lasciatele accese finché non si consumano completamente. Durante l'esecuzione di questo rituale, visualizzare la persona completamente sana.

Rituali per il mese di agosto

Agosto 2024

Domenica	**Lunedì**	**Martedì**	**Mercoledì**	**Giovedì**	**Venerdì**	**Sabato**
				1		
4 Luna Nuova	**5**			**8**		**10**
18 Luna piena			**21**		**23**	
25	**26**			**29**	**30**	**31**

4 agosto 2024 Luna Nuova Leone 12°33'

18 agosto 2024 Luna piena Acquario 27°14'.

I migliori rituali per il denaro

4,5 agosto 2024

Specchio magico per i soldi. Luna piena

Procuratevi uno specchio di 40-50 cm di diametro e dipingete la cornice di nero. Lavate lo specchio con acqua santa e copritelo con un panno nero.

La prima notte di luna piena, esponetelo ai raggi lunari in modo da poter vedere l'intero disco lunare nello specchio. Chiedete alla luna di consacrare questo specchio per illuminare i vostri desideri.

La notte della prossima Luna Piena, disegnate il simbolo del denaro per sette volte con una matita per labbra ($$$$$$$).

Chiudete gli occhi e visualizzate voi stessi con tutta l'abbondanza materiale che desiderate. Lasciate i simboli disegnati fino al mattino seguente.

Poi pulite lo specchio con acqua santa finché non rimane alcuna traccia della vernice usata. Riponete lo specchio in un luogo dove nessuno possa toccarlo.

Per ripetere l'incantesimo, è necessario ricaricare l'energia dello specchio tre volte all'anno in occasione della Luna piena.

Se lo fate in un momento planetario che ha a che fare con la prosperità, aggiungerete un'energia suprema alla vostra intenzione.

Rituale per accelerare le vendite. Luna Nuova

Si tratta di una ricetta efficace per proteggere il denaro, moltiplicare le vendite della vostra attività e risanare energeticamente il luogo.

È necessario:

-1 candela verde
-1 moneta
- Sale marino
-1 pizzico di peperoncino

Questo rituale deve essere eseguito il giovedì o la domenica, all'ora del pianeta Giove o del Sole.

Non devono esserci altre persone nei locali dell'azienda.

Accendete la candela e disponete intorno ad essa la moneta, una manciata di sale e un pizzico di pepe a forma di triangolo.

È fondamentale posizionare il peperoncino a destra e la manciata di sale a sinistra. La moneta deve trovarsi in cima alla piramide.

Mettetevi davanti alla candela per qualche minuto e visualizzate tutto ciò che desiderate in termini di prosperità.

Gli avanzi si possono buttare via, le monete si conservano sul posto di lavoro per proteggersi.

I migliori rituali per l'amore

Un venerdì qualsiasi, il giorno di Venere.

I migliori rituali per l'amore

7, 14, 21, 28, 31 luglio.

Incantesimo per far sì che qualcuno pensi a voi

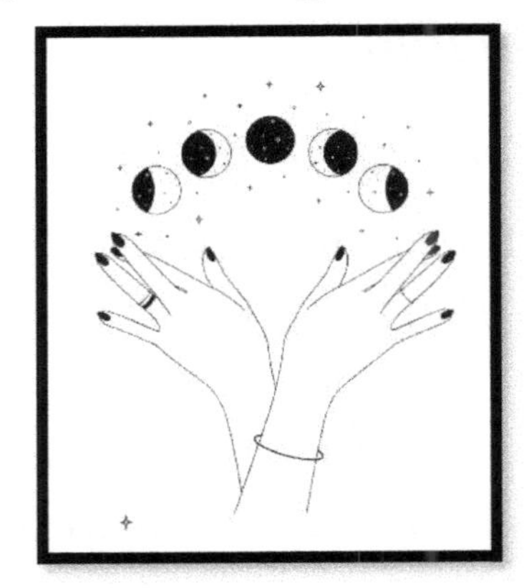

Prendete un piccolo specchio che le donne usano per truccarsi e mettete una vostra foto dietro lo specchio.

Poi prendete una fotografia della persona a cui volete pensare e mettetela a faccia in giù davanti allo specchio (in modo che le due fotografie siano una di fronte all'altra, con lo specchio in mezzo).

Avvolgete lo specchio con un pezzo di stoffa rossa e legatelo con uno spago rosso in modo che sia sicuro e che le foto non possano muoversi.

Questo dovrebbe essere posizionato sotto il letto, ben nascosto.

Incantesimo che vi trasforma in un magnete

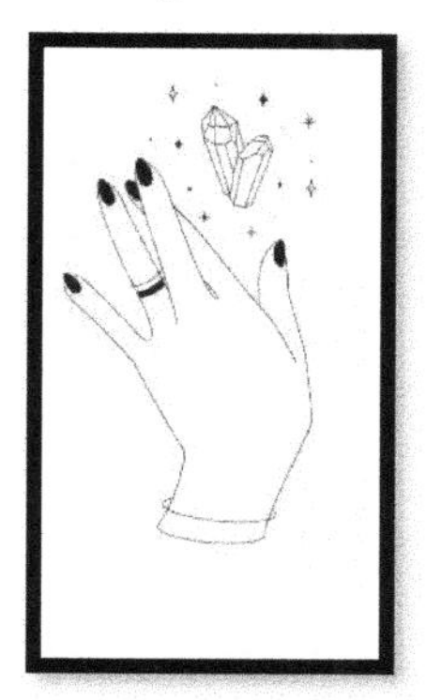

Per avere un'aura magnetica e attirare le donne o gli uomini, si dovrebbe fare un sacchetto giallo con il cuore di una colomba bianca e gli occhi di una TARTUGA in polvere.

Se siete uomini, questa borsa deve essere portata nella tasca destra.

Le donne indosseranno la stessa borsa, ma all'interno del reggiseno, sul lato sinistro.

I migliori rituali per la salute

Il 23 agosto il Sole entra in Vergine.

Bagno rituale con erbe amare

Questo rituale viene utilizzato quando la persona è stata stregata a tal punto da essere in pericolo di vita.

Elementi necessari:

- *7 Foglie di mirto*
- *Succo di melograno*
- *Latte di capra*
- *Sale marino*
- *Acqua sacra*
- *Cascarilla*
- *8 Foglie della pianta spacca muro*

Versare il latte di capra in un recipiente capiente, aggiungere il succo di melograno, l'acqua santa, le piante, il sale marino e la cascarilla.

Lasciate questo preparato davanti a una candela bianca per tre ore e poi versatelo sulla testa. Dormire così e risciacquare il giorno dopo.

Rituali per il mese di settembre

Settembre 2024

Domenica	Lunedì	Martedì	Mercoledì	Giovedì	Venerdì	Sabato
1		**3** Luna Nuova		**5**		
8	**9**	**10**				
		17 Luna piena	**18**			**21**
	23		**25**	**26**		
29	**30**					

3 settembre 2024 Vergine Luna Nuova 11°03'.

17 settembre 2024 Luna piena ed eclissi parziale dei Pesci 25°40'

I migliori rituali per il denaro

3,13,20 settembre 2024

Rituale per fare soldi in tre giorni.

Procuratevi cinque bastoncini di cannella, una buccia d'arancia essiccata, un litro di acqua di luna piena e una candela d'argento. Fate bollire la cannella e la buccia d'arancia nell'acqua della luna. Una volta raffreddate, mettetele in un flacone spray. Accendete la candela nella zona nord del soggiorno e spruzzate il liquido in tutte le stanze. Mentre lo fate, ripetete nella vostra mente: "Gli Spiriti Guida proteggono la mia casa e mi permettono di ricevere immediatamente il denaro di cui ho bisogno".

Quando avete finito, lasciate la candela accesa.

Soldi con un Elefante Bianco

Comprate un elefante bianco con la proboscide alzata.

Posizionatelo all'interno della casa o dell'azienda, mai davanti alle porte.

Il primo giorno di ogni mese, mettete una banconota del taglio più basso nella proboscide dell'elefante, piegatela in due nel senso della lunghezza e ripetete: "Che questo sia il doppio di 100"; poi piegatela di nuovo nel senso della larghezza e ripetete: "Che questo sia moltiplicato per mille".

Srotolate il biglietto e lasciatelo nella proboscide dell'elefante fino al mese successivo.

Ripetere il rituale, cambiando le note.

Rituale per vincere la lotteria.

È necessario:
- 2 candele verdi
- 12 monete (che rappresentano i dodici mesi dell'anno)
- 1 mandarino
- Bastoncini di cannella
- Petali di due rose rosse
-1 vaso di vetro a bocca larga con coperchio
-1 vecchio biglietto della lotteria
- Acqua di Luna Piena

Mettete il mandarino nel barattolo, il biglietto della lotteria, le monete, i petali e la cannella intorno, coprite con l'acqua di luna e mettete il coperchio. Mettete la candela nel coperchio del vaso e accendetela. Il giorno dopo, sostituite la candela con una nuova e, il terzo giorno, scoperchiate il barattolo e buttate via tutto, tranne le monete, che serviranno come amuleto. Tenetene una nel portafoglio e lasciate a casa le altre undici. Alla fine dell'anno, dovrete spendere le monete.

I migliori rituali per l'amore

Un qualsiasi venerdì del settembre 2024

Rituale per eliminare le controversie

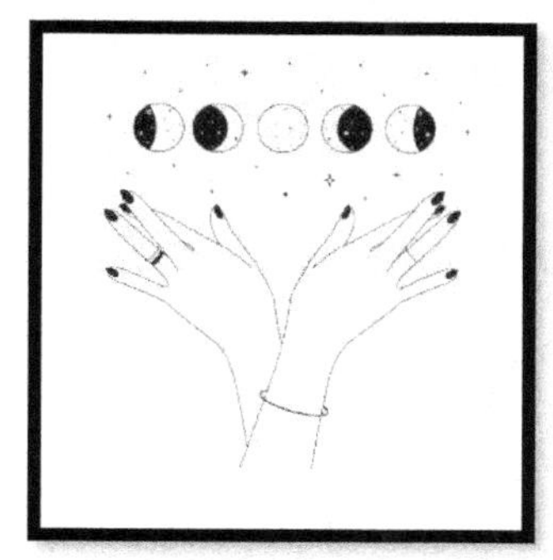

Scrivete i nomi completi di voi stessi e del vostro partner su un foglio di carta. Mettetelo sotto una piramide di quarzo rosa e ripetete mentalmente: "Io (il vostro nome) sono in pace e in armonia con il mio partner (il nome del vostro partner), l'amore ci circonda ora e sempre".

Questa piramide con i nomi dovrebbe essere conservata nella zona dell'amore della vostra casa. L'angolo in basso a destra della porta d'ingresso è la zona delle coppie, dell'amore, del matrimonio o delle relazioni.

Rituale d'amore

Per un periodo di cinque giorni e alla stessa ora, formate una piramide sul pavimento con petali di rose rosse. Scrivete il nome della persona di cui volete innamorarvi su una candela verde, accendetela e mettetela al centro della piramide, sopra il pentagramma di Venere numero 3.

Sedetevi davanti a questa piramide e ripetete mentalmente: "Invoco tutte le forze elementari dell'universo affinché (nome della persona) ricambi il mio amore". Trascorso questo tempo, si possono gettare i resti delle candele nel cestino e il pentagramma deve essere bruciato.

Pentacolo #3 Venere.

I migliori rituali per la salute

Qualsiasi giorno di settembre. Preferibilmente lunedì e venerdì.

Bagno curativo

Elementi necessari:

- *Melanzana*

- *Ruda*
- *Spirito*
- *Cascarilla*
- *Acqua della Florida*
- *Acqua piovana*
- *Candela verde (più efficace se a forma di piramide)*

Questo bagno è più efficace se fatto di domenica, all'ora del Sole o di Giove. Tagliate la melanzana a pezzetti e mettetela in una pentola grande.

Far bollire la salvia e la ruta nell'acqua piovana. Filtrare il liquido sui pezzi di melanzana, aggiungere l'Agua florida, il brandy, la cascarilla e accendere la candela. Versare il composto nell'acqua del bagno. Se non avete una vasca da bagno, versatelo sulla vasca e asciugatevi all'aria, cioè senza usare l'asciugamano.

Bagno protettivo prima di un intervento chirurgico

Elementi necessari:

- *Campana viola*
- *Acqua di cocco*
- *Cascarilla*
- *Colonia 1800*
- *Sempre vivo*
- *Foglie di menta*
- *Foglie di ruta*
- *Foglie di rosmarino*
- *Candela bianca*
- *Olio di lavanda*

Questo bagno è più efficace se fatto di giovedì, al momento della Luna o di Marte.

Fate bollire tutte le piante nell'acqua di cocco, quando si raffredda, filtratela e aggiungete la conchiglia, l'acqua di colonia e l'olio di lavanda e accendete la candela nella parte occidentale del bagno.

Versare la miscela nell'acqua della vasca da bagno. Se non si dispone di una vasca da bagno, versarla su sé stessi e non asciugarsi.

Rituali per il mese di ottobre

Ottobre 2024

Domenica	**Lunedì**	**Martedì**	**Mercoledì**	**Giovedì**	**Venerdì**	**Sabato**
		1	**2** Luna Nuova			**5**
		8		**10**		
			16 Luna piena			
	21		**23**		**25**	**26**
		29	**30**	**31**		

2 ottobre 2024 Eclissi solare anulare in Bilancia e Luna nuova a 10°02'.

16 ottobre 2024 Ariete Luna piena 24°34' Ariete

I migliori rituali per il denaro

2, 17, 31 ottobre 2024.

Incantesimo con zucchero e acqua di mare per la prosperità.

È necessario:
- Acqua di mare
- 3 cucchiai di zucchero
- 1 bicchiere di cristallo blu

Riempite la tazza con acqua di mare e zucchero, lasciatela all'aria aperta la prima notte di Luna piena e toglietela alle 6 del mattino.

Poi aprite le porte della vostra casa e iniziate a spruzzare acqua zuccherata dall'ingresso al retro, usando una bottiglia spray; mentre lo fate, ripetete nella vostra mente: "Attiro nella mia vita tutta la prosperità e la ricchezza che l'universo sa che merito, grazie, grazie, grazie".

La Canela

Viene utilizzata per purificare il corpo. In alcune culture si ritiene che abbia il potere di favorire l'immortalità. Dal punto di vista magico, la cannella è legata al potere della luna per la sua tendenza femminile.

Rituale per attrarre denaro all'istante.

È necessario:
- 5 bastoncini di cannella
- 1 buccia d'arancia essiccata
- 1 litro di acqua santa
- 1 candela verde

Portare a ebollizione la cannella, la scorza d'arancia e 1 litro d'acqua, quindi lasciare riposare il composto finché non si raffredda. Versare il liquido in un flacone spray.

Accendete la candela nella parte settentrionale del soggiorno della vostra casa e spargetela in tutte le stanze, ripetendo: "Angelo dell'abbondanza, invoco la tua presenza in questa casa affinché non ci manchi nulla e abbiamo sempre più del necessario".

Quando avete finito, dite tre volte la preghiera e lasciate la candela accesa.

Potete farlo di domenica o di giovedì, all'ora del pianeta Venere o di Giove.

I migliori rituali per l'amore

Un giorno qualsiasi dell'ottobre 2024.

Incantesimo per dimenticare un vecchio amore

È necessario:
- 3 candele gialle a forma di piramide
- Sale marino

- Aceto bianco
- Olio d'oliva
- Carta gialla
- 1 bustina nera

Questo rituale è più efficace se eseguito durante la fase di luna calante.

Scrivete il nome della persona che volete eliminare dalla vostra vita al centro del foglio con l'olio.

Poi si mettono le candele in cima a forma di piramide.

Mentre lo fate, ripetete nella vostra mente: "Il mio angelo custode veglia sulla mia vita, questo è il mio desiderio e si avvererà".

Quando le candele sono esaurite, avvolgete tutti gli avanzi nella stessa carta e cospargeteli di aceto.

Poi mettetelo nel sacco nero e smaltitelo in un luogo lontano da casa, preferibilmente in presenza di alberi.

Incantesimo per attrarre l'anima gemella

È necessario:
- Foglie di rosmarino
- Foglie di prezzemolo
- Foglie di basilico
- Contenitore in metallo
- 1 candela rossa a forma di cuore
- Olio essenziale di cannella
- 1 cuore disegnato su carta rossa
- Alcool
- Olio di lavanda

Bisogna prima consacrare la candela con l'olio di cannella, poi accenderla e posizionarla accanto al contenitore di metallo. Mescolate tutte le piante nel contenitore. Scrivete sul cuore di carta tutte le caratteristiche della persona che volete nella vostra vita, annotando i dettagli. Mettete cinque gocce di olio di lavanda sulla carta e posizionatela all'interno del contenitore. Cospargetelo di alcol e dategli fuoco. Tutti i resti devono essere sparsi sulla spiaggia, mentre vi concentrate e chiedete che questa persona entri nella vostra vita.

Rituale per attrarre l'amore

È necessario
- Olio di rosa
- 1 quarzo rosa
- 1 mela
- 1 rosa rossa in un piccolo vaso
- 1 rosa bianca in un piccolo vaso
- 1 nastro rosso lungo
- 1 candela rossa

Per ottenere la massima efficacia, questo rituale dovrebbe essere eseguito il venerdì o la domenica, all'ora del pianeta Venere o di Giove.

È necessario consacrare la candela prima di iniziare il rituale con l'olio di rosa. Accendere la candela. Tagliate la mela in due pezzi e mettetene uno nel vaso di rose rosse e l'altro in quello di rose bianche.

Legare il nastro rosso intorno ai due vasi. Lasciateli accanto alla candela per tutta la notte, finché la candela non si spegne. Mentre lo fate, ripetete nella vostra mente: "Che la persona destinata a rendermi felice appaia sul mio cammino, la accolgo e la accetto". Quando le rose saranno secche, insieme alle metà delle mele, seppellitele nel vostro giardino o in un vaso con quarzo rosa.

I migliori rituali per la salute

Ogni domenica di ottobre 2024

Rituale per aumentare la vitalità

Immergete una piramide di alluminio in un secchio d'acqua per 24 ore. Il giorno successivo, dopo la doccia abituale, lavatevi con quest'acqua. Potete eseguire questo rituale una volta alla settimana.

Rituali per il mese di novembre

Novembre 2024

Domenica	Lunedì	Martedì	Mercoledì	Giovedì	Venerdì	Sabato
					1 Luna Nuova	
		5			**8**	
10					**15** Luna piena	
				21		**23**
	25	**26**			**29**	**30** Luna Nuova

1° novembre 2024 Scorpione Luna Nuova 9°34

15 novembre 2024 Luna Piena Toro 24°00'

30 novembre 2024 Luna nuova Sagittario 9°32'

I migliori rituali per fare soldi

1,15,30 novembre 2024

Fare soldi con la pietra

È necessario:

- *Acqua santa*
- *7 monete di qualsiasi taglio*
- *7 pietre di pirite*
- *1 candela verde*
- *1 cucchiaino di cannella*
- *1 cucchiaino di sale marino*
- *1 cucchiaino di zucchero di canna*
- *1 cucchiaino di riso*

Questo rituale deve essere eseguito alla luce della luna piena, cioè all'aperto.

Versare l'acqua e la terra in una ciotola per ottenere una pasta densa. Aggiungere al composto i cucchiaini di sale, lo zucchero, il riso e la cannella e posizionare le 7 monete e le 7 piriti in diversi punti al centro dell'impasto. Mescolare l'impasto in modo uniforme e lisciarlo con un cucchiaio. Lasciare il contenitore alla luce della luna piena per tutta la notte e parte del giorno successivo al sole per farlo asciugare. Una volta asciutto, portatelo in casa e metteteci sopra la candela verde accesa. Non pulite i residui di cera da questa pietra. Posizionatela in cucina, il più vicino possibile a una finestra.

I migliori rituali per l'amore
Ogni venerdì e lunedì di novembre.

Lo specchio magico dell'amore

Procuratevi uno specchio di 40-50 cm di diametro e dipingete la cornice di nero. Lavate lo specchio con acqua santa e copritelo con un panno nero. La prima notte di luna piena, lasciate lo specchio esposto ai suoi raggi in modo da poter vedere l'intero disco lunare nello specchio.

Chiedete alla Luna di consacrare questo specchio per illuminare i vostri desideri.

La notte dopo la Luna Piena, scrivete con un pastello tutto ciò che volete in termini di amore. Specificate come volete che sia il vostro partner sotto ogni aspetto. Chiudete gli occhi e visualizzatevi felici e insieme a lei. Lasciate le parole scritte fino al mattino seguente.

Poi pulite lo specchio con l'acqua santa finché non ci sono più tracce della vernice che avete usato. Riponete lo specchio in un luogo dove nessuno possa toccarlo.

Per poter ripetere questo incantesimo, è necessario ricaricare lo specchio tre volte all'anno con l'energia delle Lune Piene. Se lo fate in un periodo planetario che ha a che fare con l'amore, aggiungerete un potere supremo alla vostra intenzione.

Incantesimo per aumentare la passione

È necessario:
- 1 foglio di carta verde
- 1 mela verde

- Filo rosso
- 1 coltello

Questo rituale deve essere eseguito di venerdì, all'ora del pianeta Venere.

Scrivete il nome del vostro compagno e il vostro nome sul foglio verde e disegnate un cuore intorno.

Tagliare la mela a metà con il coltello e posizionare la carta tra le due metà.

Quindi legare insieme le metà con il filo rosso e fare cinque nodi.

Darete un morso alla mela e la inghiottirete.

A mezzanotte, i resti della mela vengono seppelliti il più vicino possibile alla casa del partner o, se vivete insieme, nel suo giardino.

I migliori rituali per la salute

Ogni giovedì del novembre 2024

Rituale per eliminare il dolore

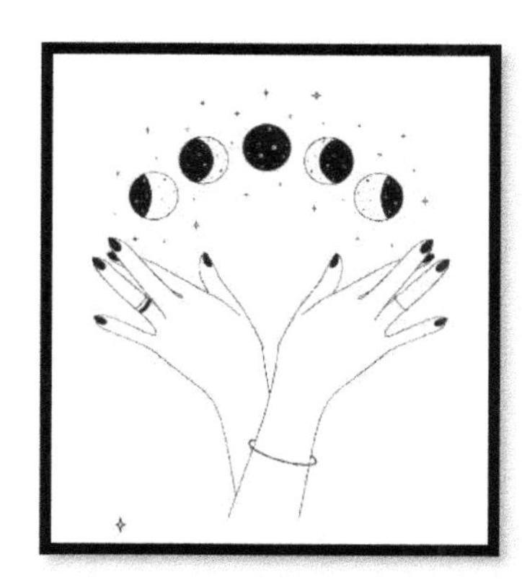

Sdraiatevi sulla schiena con la testa rivolta a nord e appoggiate una piramide gialla sul basso ventre per dieci minuti: le malattie scompariranno.

Rituale di rilassamento

Prendete una piramide viola e sdraiatevi sulla schiena con gli occhi chiusi, mantenete la mente vuota e respirate dolcemente. A questo punto, sentirete le braccia, le gambe e il petto intorpidirsi.

Dopo, vi sentirete più pesanti, il che significa che siete totalmente rilassati, questo rituale genera pace e armonia.

Rituale per una vecchiaia sana

Prendete un uovo grande e coloratelo d'oro.

Quando la vernice si è asciugata, posizionatela all'interno di un cerchio che farete con 7 candele (1 rossa, 1 gialla, 1 verde, 1 rosa, 1 blu, 1 viola, 1 bianca). Sedetevi davanti al cerchio con la testa coperta da una sciarpa bianca e accendete le candele in senso orario. Ripetete le seguenti affermazioni mentre accendete le candele:

Sto diventando la versione migliore di me stesso.
Le mie possibilità sono infinite.
Ho la libertà e il potere di creare la vita che voglio.
Scelgo di essere gentile con me stesso e di amarmi incondizionatamente.

Faccio quello che posso, e questo è sufficiente.
Ogni giorno è un'opportunità per ricominciare.
Ovunque mi trovi nel mio viaggio è il mio posto.
Lasciate che le candele si spengano.

Quindi seppellite l'uovo in un vaso di argilla e riempitelo di sabbia, lasciandolo esposto alla luce del sole e della luna per tre giorni e tre notti consecutive.

Terrete questo vaso in casa per tre anni, dopodiché dissotterrerete l'uovo, romperete il guscio e lascerete ciò che troverete all'interno come amuleto protettivo.

Incantesimo per curare i malati gravi

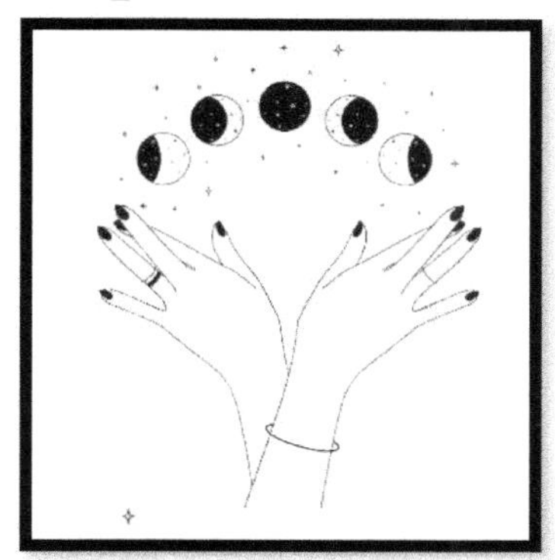

La diagnosi del medico e una fotografia attuale della persona vengono poste in un contenitore di metallo. Posizionare due candele verdi ai lati del contenitore e accenderle.

Bruciare il contenuto del contenitore e, mentre brucia, aggiungere i capelli della persona.

Quando ci sono solo ceneri, metterle in una busta verde e il paziente deve dormire con questa busta sotto il cuscino per 17 giorni.

Rituali di dicembre

Dicembre 2024

Domenica	**Lunedì**	**Martedì**	**Mercoledì**	**Giovedì**	**Venerdì**	**Sabato**
1				**5**		
8		**10**				**14** Luna piena
			18			**21**
	23		**25**	**26**		
29	**30** Luna Nuova	**31**				

15 dicembre 2024 Luna piena dei Gemelli 23°52' Luna piena dei Gemelli

30 dicembre 2024 Luna Nuova in Capricorno 9°43

I migliori rituali per il denaro

14, 20 e 30 dicembre 2024

Rituale indù per attirare il denaro.

I giorni ideali per questo rituale sono il giovedì o la domenica, all'ora del pianeta Venere, di Giove o del Sole.
È necessario:
- *Olio essenziale di ruta o di basilico*
- *1 moneta d'oro*
- *1 nuovo portafoglio o borsa*
- *1 spiga di grano*
- *5 piriti*

È necessario consacrare la moneta d'oro ungendola con olio di basilico o di ruta e dedicandola a Giove. Mentre la si unge, ripetere mentalmente:

"Voglio che tu saturi questa moneta con la tua energia, in modo che l'abbondanza economica possa entrare nella mia vita".

Versate poi dell'olio sulla spiga di grano e offritela a Giove, chiedendogli di non far mancare il cibo alla vostra casa. Prendete la moneta, insieme alle cinque piriti, e mettetela in un nuovo portamonete, che dovrete seppellire sul lato sinistro della facciata della vostra casa. La pannocchia sarà conservata in cucina.

Denaro e abbondanza per tutti i membri della famiglia.

È necessario:

- 4 vasi di argilla

- 4 Giove pentacoli #7 (potete stamparli)

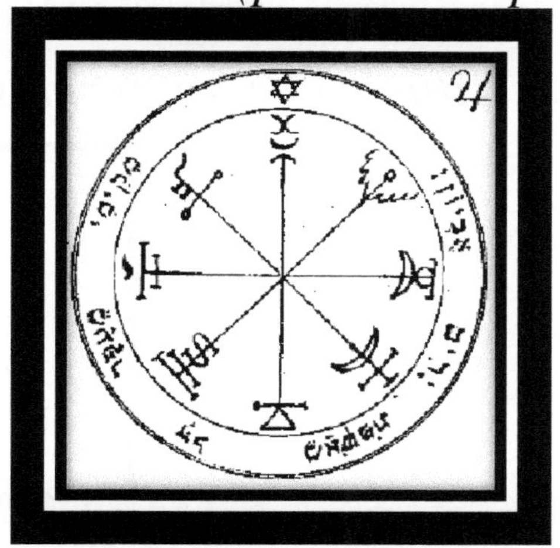

Pentacolo di Giove n. 7.

- *Mel*
- *4 agrumi*

Venerdì, all'ora del pianeta Giove, scrivete i nomi di tutte le persone che vivono nella vostra casa sul retro del settimo pentagramma di Giove.

Poi mettete ogni pezzo di carta nei vasi di argilla insieme ai citrini e versateci sopra il miele. Posizionate i vasi ai quattro punti cardinali della vostra casa. Lasciateli lì per un mese. Alla fine di questo periodo, buttate via il miele e i pentacoli, ma tenete i citrini in salotto.

I migliori rituali quotidiani per l'amore

Venerdì e domenica, dicembre 2024

Rituale per trasformare l'amicizia in amore

Questo rituale è più potente se eseguito il martedì all'ora di Venere.

È necessario:

- 1 fotografia a figura intera della persona amata
- 1 specchio piccolo
- 7 dei vostri capelli
- 7 gocce del vostro sangue
- 1 candela piramidale rossa
- 1 bustina d'oro

Versate le gocce di sangue sullo specchio, metteteci sopra i capelli e aspettate che si asciughi. Posizionare la foto sopra lo specchio (quando il sangue è asciutto).

Accendere la candela e posizionarla alla destra dello specchio, concentrarsi e ripetere:

"Siamo uniti per sempre dal potere del mio sangue e dal potere di (nome della persona che ami) l'amore che provo per te. L'amicizia finisce, ma inizia l'amore eterno".

Quando la candela è stata consumata, mettete tutto nel sacchetto d'oro e gettatelo in mare.

Incantesimo d'amore germanico

Questo incantesimo è più efficace se viene lanciato durante la fase di Luna Piena, alle 23.59 di notte.

È necessario:
- 1 foto della persona amata
- 1 foto di voi
- 1 Cuore di colomba bianca
- 13 petali di girasole
- 3 pin
- 1 candela rosa
- 1 candela blu
- 1 ago da cucito nuovo
- Zucchero di canna
- Cannella in polvere
- 1 tavolo

Sistemate le foto sulla tavola, mettete il cuore in cima e infilate le tre spille. Circondatele con i petali di girasole, mettete la candela rosa a sinistra e la candela blu a destra e accendetele nello stesso ordine.

Pungere l'indice della mano sinistra e far cadere tre gocce di sangue sul cuore. Mentre il sangue cade, ripetere tre volte: "Per il potere del sangue, tu (nome della persona) mi appartieni".

Quando le candele sono esaurite, interrate il tutto e, prima di chiudere il buco, aggiungete cannella in polvere e zucchero di canna.

Incantesimo di vendetta

È necessario:

- *1 pietra di fiume*
- *Pepe rosso*
- *Foto della persona che vi ha rubato l'amore*
- *1 vaso*
- *Terreno del cimitero*
- *1 candela nera*

Sul retro della fotografia si deve scrivere il seguente incantesimo: "Per il potere della vendetta, ti prometto che mi ripagherai e che non farai mai più del male a nessuno, sei cancellato".

(nome della persona)".

Poi mettete la fotografia della persona sul fondo del vaso e ponete la pietra in cima, versate la terra del cimitero e il peperoncino rosso, in quest'ordine.

Accendete la candela nera e ripetete lo stesso incantesimo che avete scritto dietro la fotografia. Quando la candela si brucia, gettatela nella spazzatura e lasciate il vaso in un luogo che sia una montagna.

I migliori rituali per la salute

Un giovedì qualsiasi del dicembre 2024

Griglia cristallina per la salute

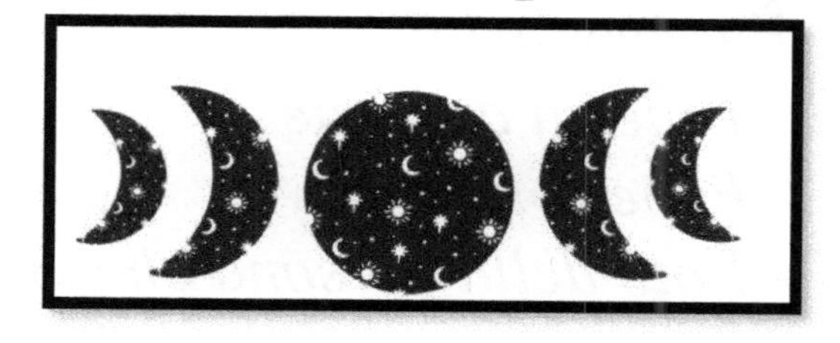

Il primo passo è decidere quale obiettivo si vuole esprimere. Scrivete su un foglio di carta i vostri desideri per la salute, sempre al presente e senza contenere la parola ***NO.*** *Un esempio potrebbe essere: "Ho una salute perfetta".*

Elementi necessari.

- *1 quarzo ametista grande (il focus)*
- *4 Lari mar*
- *4 piccoli quarzi corniola*
- *6 quarzo occhio di tigre*
- *4 agrumi*
- *1 Figura geometrica del Fiore della Vita*
- *1 Punta di quarzo bianco per attivare il grill*

Fiore della vita.

Questi quarzi devono essere puliti prima del rituale per purificare le pietre dalle energie che possono aver assorbito prima di arrivare alle vostre mani; il sale marino è l'opzione migliore. Lasciateli nel sale marino per tutta la notte. Quando li rimuovete, potete anche accendere un palò santo e fumare per rafforzare il processo di purificazione.

Gli schemi geometrici ci aiutano a visualizzare meglio come le energie si connettono tra i nodi; i nodi sono i punti decisivi della geometria, sono le posizioni strategiche in cui i cristalli sono collocati in modo che le loro energie interagiscano tra loro, creando correnti energetiche ad alta vibrazione (come un circuito) che possiamo deviare verso la nostra intenzione.

Andate a cercare un posto tranquillo perché quando lavoriamo con le ragnatele cristalline stiamo lavorando con le energie universali.

Prendete le pietre, una per una, e mettetele nella mano sinistra, che tenete a forma di ciotola, copritela con la mano destra e ripetete ad alta voce i nomi dei simboli Reiki: Cho Ku Rei, Sei He Ki, Hon Sha Ze Sho Nen e Dai Ko Mio, per tre volte consecutive ciascuno.

Lo si fa per dare energia alle pietre.

*Piegate la carta e posizionatela al centro della griglia. Posizionate il quarzo ametista grande sopra, questa pietra al centro è il focus, le altre sono posizionate come nell'*esempio.*

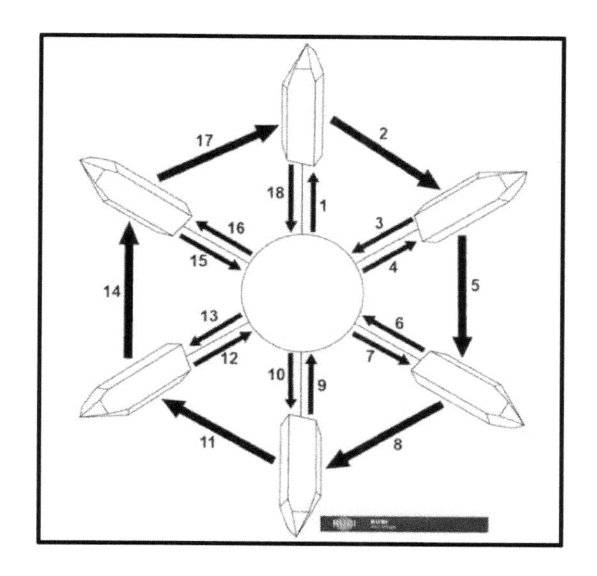

Le collegherete con la punta di quarzo, partendo dal fuoco circolare in senso orario.

Una volta sistemata la griglia, lasciatela in un luogo dove nessuno possa toccarla. Di tanto in tanto, dovrete riaccenderla, cioè attivarla con la punta di quarzo, visualizzando nella vostra mente ciò che avete scritto sul foglio.

Informazioni sull'autore

Oltre alle sue conoscenze astrologiche, Alina A. Rubi ha una ricca formazione professionale. Rubi ha una ricca formazione professionale; ha certificazioni in psicologia, ipnosi, reiki, guarigione bioenergetica con cristalli, guarigione angelica, interpretazione dei sogni ed è istruttrice spirituale. Rubi ha conoscenze di gemmologia, che utilizza per programmare pietre o minerali in potenti amuleti o talismani protettivi.

Rubi ha un'indole pratica e orientata ai risultati, che le ha permesso di avere una visione speciale e integrativa di vari mondi, facilitando la ricerca di soluzioni a problemi specifici. Alina scrive gli oroscopi mensili per il sito web dell'American Astrologherà Association, che si possono leggere all'indirizzo www.astrologers.com. Attualmente tiene una rubrica settimanale sul quotidiano El Nuevo Herald su argomenti spirituali, pubblicata ogni domenica in formato digitale e il lunedì in formato cartaceo. Ha anche un programma e un oroscopo settimanale sul canale YouTube del giornale. Il suo Annuario Astrologico viene pubblicato ogni anno sul quotidiano "Diario las Américas", con la rubrica Rubi Astrologa.

Rubi ha scritto diversi articoli sull'astrologia per la pubblicazione mensile "Today's Astrologer", ha tenuto corsi di astrologia, tarocchi, lettura delle palme, guarigione con i cristalli ed esoterismo. Ha video settimanali su argomenti esoterici sul suo canale YouTube: Rubi Astrologa. Ha avuto un suo programma di astrologia trasmesso quotidianamente su Flamingo T.V., è stata intervistata da vari programmi televisivi e radiofonici e ogni anno pubblica il suo "Annuario astrologico" con l'oroscopo segno per segno e altri interessanti argomenti mistici.

È autrice dei libri "Riso e fagioli per l'anima" Parte I, II e III, una raccolta di articoli esoterici pubblicati in inglese, spagnolo, francese, italiano e portoghese. Soldi per ogni tasca", "Amore per ogni cuore", "Salute per ogni corpo", Annuario astrologico 2021, Oroscopo 2022, Rituali e incantesimi per il successo nel 2022, Incantesimi e segreti 2023, Lezioni di astrologia, rituali e incantesimi 2024 e Oroscopo cinese 2024 sono disponibili in nove lingue: inglese, russo, portoghese, cinese, italiano, francese, spagnolo, giapponese e tedesco.

Rubi parla correntemente inglese e spagnolo e combina tutti i suoi talenti e le sue conoscenze nelle sue letture. Attualmente vive a Miami, in Florida.

Per ulteriori informazioni, è possibile ***visitare il sito web*** *www.esoterismomagia.com.*

Angeline A. Rubi è la figlia di Alina Rubi. È la curatrice di tutti i libri. Attualmente studia psicologia alla Florida International University. È autrice di "Proteina for Your Mind", una raccolta di articoli metafisici.

Si interessa di argomenti metafisici ed esoterici fin da bambina e pratica astrologia e cabala dall'età di quattro anni. Conosce i Tarocchi, il Reiki e la Gemmologia.

Per ulteriori informazioni, contattatela via e-mail: ***rubiediciones29@gmail.com***

Milton Keynes UK
Ingram Content Group UK Ltd.
UKHW050658291223
435170UK00012B/416